Devoção

Dick Hoyt e Don Yaeger

Devoção

Ele acreditou que seria capaz.
E por seu filho, superou seus próprios limites.

Tradução:
Marsely De Marco Martins Dantas

Editora Novo Conceito

3ª Impressão - 2011

Produção Editorial
Equipe Novo Conceito

Tradução: Marsely de Marco Martins Dantas
Preparação de Texto: Maria Dolores D. Sierra Mata
Revisão de Texto: Carla Montagner e Tânia Marisa Cotrim Donato
Diagramação: Ésper Leon
Capa: Equipe Novo Conceito
Foto da Capa: Russ Dixon

Este livro segue as regras da Nova Ortografia da Língua Portuguesa

Dados Internacionais de Catalogação na Publicação (CIP)
(Câmara Brasileira do Livro, SP, Brasil)

Hoyt, Dick
Devoção : a história de amor de um pai por seu filho / Dick Hoyt e Don Yaeger ; tradução Marsely de Marco Martins Dantas . - - Ribeirão Preto , SP : Editora Novo Conceito , 2011 .

Título original : Devoted
ISBN 978-85-63219-23-7

1 . Atletas com deficiências - Estados Unidos - Biografia 2 . Hoyt , Dick 3 . Maratonistas - Estados Unidos - Biografia 4 . Pais e filhos - Estados Unidos - Biografia 5 . Pessoas com paralisia cerebral - Estados Unidos - Biografia 6 . Quadraplégicos - Estados Unidos - Biografia 7 . Triatlonistas - Estados Unidos - Biografia I . Yaeger , Don . II . Título .

11 - 00063 CDD - 362.1968360092

Índices para catálogo sistemático :
1 . Estados Unidos : Atletas deficientes :
Biografia 362 . 1968360092

Editora Novo Conceito

Rua Dr. Hugo Fortes, 1885 – Pq Industrial Lagoinha
14095-260 – Ribeirão Preto – SP
www.**editoranovoconceito**.com.br

Gostaria de dedicar este livro à minha mãe e meu pai,

que sempre nos apoiaram. Foram eles que me deram um coração forte e um corpo que nos possibilitou competir em um nível além das minhas próprias expectativas e explicações.

Também dedico este livro à Judy, a mãe de Rick,

que lutou brava e incansavelmente para garantir a Rick uma educação que verdadeiramente o capacitasse e o incluísse em todas as atividades diárias.

E aos meus filhos, Rob e Russ,

que de forma abnegada aceitaram o fato de que a condição de Rick criava momentos de dificuldades para eles às vezes e frequentemente negava-lhes a atenção merecida. Tenho muito orgulho de quem eles são e do que se tornaram.

Também à Kathy Boyer,

minha namorada e gerente do meu escritório, que passou muitas horas pesquisando material para este livro bem como revisando, editando, reescrevendo para garantir que a história fosse precisa.

Acima de tudo, no entanto, dedico este livro ao meu filho Rick.

Se não fosse por sua determinação e força interior, não haveria livro. É ele quem me inspira e motiva. Ele é o coração e a alma da Equipe Hoyt.

– Dick Hoyt

Para Jeanette:

Obrigado por me inspirar a ser um grande pai… e por ter me dado tal oportunidade! Espero conseguir ter tanto sucesso com nossos dois filhos como Dick teve com Rick.

– Don Yaeger

Sumário

Agradecimentos

Devoção levou mais de dois anos para ser concluído, incluindo incontáveis horas de entrevistas, compilações de informações, escrita e edição. Esperamos que este livro inspire e motive as pessoas ao redor do mundo. Gostaria especialmente de agradecer a todos aqueles que nos ajudaram e nos apoiaram:

Ao autor de livros de sucesso do *New York Times*, Don Yaeger, e Jessica Pitchford, uma aluna de doutorado do Programa de Escrita Criativa da Universidade Estadual da Flórida, que passaram intermináveis horas transformando minhas palavras em um livro maravilhoso. Também a Jenny Fernandez e a Lauren Held por manterem a organização e a programação do projeto.

Este livro jamais teria acontecido sem a equipe da Da Capo Press, de forma especial, o editor Kevin Hanover. Desde o início, acreditaram e tornaram possível compartilhar nossa história com os leitores. Obrigado novamente a vocês por toda a ajuda!

A todos os médicos, enfermeiras e terapeutas do Children's Hospital Boston, e aos engenheiros da Universidade de Tufts que construíram a primeira máquina de comunicação – o Comunicador Interativo de Tufts (TIC).

A nossa família, amigos e vizinhos que nos apoiaram no decorrer dos anos.

A Mike Giallongo e a XRE – a companhia em Littleton, Massachusetts, que nos proporcionou o primeiro patrocínio. A XRE construiu a nossa primeira bicicleta para que pudéssemos começar a competir em triatlos. Mike também foi o primeiro presidente da Fundação Hoyt.

A Eddie Burk – por seu grande apoio à Equipe Hoyt e por ser o diretor de corridas da nossa Corrida de Rua Anual da Equipe Hoyt.

A Dave McGillivray – a primeira pessoa que sugeriu que competíssemos em triatlos. Dave também convenceu a organização do *Ironman* a permitir que competíssemos no Campeonato Mundial de *Ironman*.

Aos cuidadores pessoais de Rick, que trabalharam com ele no decorrer de todos estes anos. Se não fosse por eles, Rick jamais teria conseguido viver uma vida independente.

A Pete Wisnewski – a primeira pessoa a se aproximar e a nos encorajar em nossa primeira corrida. Ele se tornou um amigo para toda a vida.

A John Costello – Diretor do Programa de Comunicação Expansiva do Children's Hospital Boston. John trabalha com Rick desde 1986, e em razão de seu apoio, Rick tem um excelente sistema de comunicação que o possibilita expressar seus pensamentos ao mundo.

Devoção

[PRÓLOGO]

Sensação da Internet

Eu já tinha ouvido a frase *Sensação da Internet* antes, mas nunca tinha entendido seu verdadeiro significado. Agora entendo. Ninguém jamais me consideraria um mago dos computadores; mal sei verificar meus *e-mails*. Meus netos falam sobre redes sociais *online* e salas de bate-papo e *blogs*, um linguajar tecnológico que extrapola meus conhecimentos. Contudo, no dias de hoje, não se pode ligar a televisão ou acompanhar o noticiário sem ouvir algo sobre como a internet tem mudado nossas vidas. E ultimamente, as vidas que estão sendo mudadas são de pessoas comuns cujas histórias, de alguma forma, inspiram esperança. Nunca imaginei que minha história pudesse ser uma delas.

Meu filho mais velho, Rick, estava preso a uma cadeira de rodas por uma década quando me pediu para calçar um par de tênis e empurrá--lo em uma corrida. O ano era 1977. Eu tinha 37 anos e não me exercitava regularmente desde o ensino médio. Caminhava algumas vezes por semana, mas, além disso, só trabalhava para a Guarda Nacional e tentava passar a maior parte do tempo possível com minha família. Minha primeira corrida com Rick foi revigorante, porém extremamente difícil. Não ficamos em último lugar, mas quando finalmente ultrapassamos a linha de chegada, eu estava bufando e bafejando. Músculos que eu nem sabia que existiam doíam. Quando cheguei em casa, tudo o que queria era relaxar, mas Rick foi direto para o aparelho de comunicação, chamado de Dispositivo de Comunicação Interativa da Universidade de Tufts, ou TIC, e me disse o quanto tinha amado a experiência. Naquele momento, percebi que havíamos descoberto algo especial para compartilharmos. Dick e Rick tornaram-se uma equipe de pai e filho – a Equipe Hoyt. Daquele dia em diante, a cada corrida que participávamos juntos, nossa ligação ficava ainda mais forte.

Na época em que a maioria das residências já tinha acesso à Internet, estávamos correndo há 25 anos – tanto tempo que muitas pessoas já tinham ouvido nossa história. Apesar de a maioria dos nossos fãs estarem limitados ao mundo das corridas, concedíamos entrevistas locais e nacionais. Rosie O'Donnell tinha nos entrevistado para o seu programa e a revista *Parade* publicou uma discreta matéria sobre nós. Mas foi um artigo na *Sports Illustrated* no Dia dos Pais, de 2005, que realmente ganhou o prêmio. O artigo teve maior impacto do que qualquer outra matéria publicada sobre nós. As palavras de Rick Reilly realmente expressaram o amor que meu filho e eu tínhamos um pelo outro e todo o trabalho árduo que havíamos tido para chegar onde estamos hoje. Mas, mesmo assim, sempre considerei a Equipe Hoyt um item de decoração. Apenas em alguns grupos – em geral aqueles que conseguiam fazer alguma relação com a deficiência de Rick e o que havíamos passado com ele como família – podiam verdadeiramente reconhecer nosso valor. E foi assim até setembro de 2006, quando um vídeo *online* mudou nossas vidas.

Eu estava me preparando para a competição de Triatlo *Ironman*[1] no Havaí e tinha acabado de concluir um longo dia de treinamento. Cheguei em casa esperando relaxar e descansar para um novo dia de corrida, natação e bicicleta, mas, assim que passei pela porta, Kathy Boyer, minha namorada e gerente da minha empresa, me chamou do escritório que temos em casa (dou palestras de motivação para empresas). Ela disse que eu precisava ver uma coisa.

Encontrei-a na frente do computador, olhando para uma tela cheia de e-mails. Sabia que ela estava um pouco estressada por conta da administração do escritório e da organização da viagem ao Havaí, que estava cada dia mais próxima, mas não conseguia imaginar o que poderia tê-la deixado esgotada. Uma falha na programação? Problemas para guardar o equipamento de Rick? Eu estava totalmente errado! Acontece que estava recebendo tantos e-mails que a caixa de entrada estava completamente lotada e ela não sabia como começar a responder. Kathy é ótima no que faz – uma das pessoas mais organizadas que já conheci. Sei o quanto é importante para ela responder todas as mensagens que chegam da forma mais rápida possível. Cada vez que me virava, ela dizia, "Tem mais 20 ou 30". Eles não paravam de chegar – ela me disse que a situação tinha ficado tão complicada que teve de desligar as caixas de som para não ouvir mais os anúncios sonoros, cada vez que recebia um novo e-mail. Até eu sabia que isso não era comum.

1 Triatlo é uma palavra grega que designa um evento atlético composto por três modalidades. Atualmente o nome triatlo é, em geral, aplicado a uma combinação de natação, ciclismo e corrida, nessa ordem e sem interrupção entre as modalidades. (N. da T.) Pode-se dizer que o triatlo moderno surgiu no San Diego Track Club na década de 1970. A primeira grande competição de triatlo, entretanto, foi o *Ironman Triathlon*, organizado em 1978, no Havaí. Naquela ocasião, a competição foi organizada com o intuito de esclarecer qual dos atletas (nadador, ciclista ou corredor) era o mais bem condicionado fisicamente, aquele que possuía a maior resistência. Era uma competição genuinamente individual, na qual não eram permitidas interações entre alguns competidores que pudessem prejudicar os demais.

Logo descobri que a razão de todos esses e-mails era um vídeo sobre mim e Rick correndo que circulava pela internet. Kathy me disse que as pessoas estavam mandando e-mails e faxes sobre terem visto a Equipe Hoyt no *YouTube* e sentiram que tinham que escrever para nós. Tudo começou com um fã e depois com estranhos entrando em contato conosco, todos dizendo a mesma coisa – como o vídeo no *YouTube* e a nossa história os tinham inspirado. Meu primeiro pensamento foi "*YouTube*? Que diabos é *YouTube*?"

Então puxei uma cadeira e Kathy entrou no www.youtube.com, digitou "Equipe Hoyt", e rapidamente encontrou o vídeo sobre o qual todos estavam falando. Era o DVD que a Corporação Mundial de Triatlo (proprietária do *Ironman*) tinha feito sobre nós em 2004. É um vídeo de cinco minutos que contém imagens de Rick e eu nadando, andando de bicicleta e correndo no *Ironman* de 1999 no Havaí, tendo ao fundo a música *My Redeemer Lives* (Meu Salvador Vive). Lembro-me de que a primeira vez que o vi, pensei "Então é assim que as outras pessoas nos veem". Lá estava eu – com os cabelos grisalhos desalinhados e a pele enrugada – e Rick, que com quarenta e poucos anos parecia surpreendentemente jovem e tão feliz na cadeira de corrida adaptada ou no bote inflável. Lembro-me de ter sentido orgulho de nós dois em ação.

Não consegui entender o que um vídeo sobre mim e Rick estava fazendo na Internet para que todos pudessem ver e comentar. Estávamos surpresos pelo fato de o vídeo ter ido parar no *YouTube*. Àquela altura, milhares de pessoas já o tinham visto. Nas semanas que se seguiram, Kathy sempre dava uma olhadinha no vídeo e, em um piscar de olhos, havia mais de um milhão de exibições. Outros vídeos populares naquele site não haviam chegado nem perto disso. Os e-mails continuavam chegando, eram tantos que Kathy teve de esperar passar a nossa viagem para o Havaí para poder respondê-los. Eu mal sabia o que fazer com eles. Não sou do tipo que fala muito e tenha em mente que estávamos nos preparando para o Mundial *Ironman*, então eu estava concentrado na competição. Voltei a treinar e não pensei muito naquilo. Deixei Kathy cuidando das questões empresariais, para que Rick e eu pudéssemos nos concentrar na corrida.

Depois de alguns meses, percebi que as pessoas estavam fazendo *download* do vídeo, inclusive para vendê-lo. Outras estavam usando em eventos sem a nossa permissão. Até aquele dia, não tínhamos ideia de como o vídeo tinha ido parar no *YouTube* e quem tinha sido o responsável pela postagem. Como os direitos autorais eram da Corporação Mundial de Triatlo, eles o tiraram do *YouTube* várias vezes, mas ele continuava aparecendo. Acho que simplesmente desistiram. Soube que atualmente há nove ou dez vídeos da Equipe Hoyt no *YouTube*, com várias músicas de fundo e em vários idiomas diferentes. Os visitantes do *YouTube* conseguem encontrar vídeos do programa *Today Show* e também da *HBO Real Sports*.

Raramente sento-me ao computador e mal sei navegar em *websites*, por essa razão levou um tempo para digerir tudo isso. Não estava incomodado com o fato de que parecíamos estar por toda parte na web. Era mais surpresa do que qualquer outra coisa. Os e-mails que estávamos recebendo e continuávamos a receber eram de pessoas que haviam passado por diferentes situações na vida – havia os que tinham estado na guerra, policiais que testemunharam coisas terríveis durante o tempo de serviço, filhos que não falavam com seus pais há anos – e estavam todos parando para nos escrever e declarar como a nossa história os tinha inspirado a fazer algumas mudanças e serem pessoas melhores. Era espantoso perceber que podíamos causar aquele tipo de impacto.

Quando voltamos para casa do *Ironman* de 2006 no Havaí, Kathy iniciou o lento processo de responder aos e-mails das pessoas. Separou algumas mensagens especiais que perguntavam sobre a cadeira de corrida da Equipe Hoyt ou sobre um computador de comunicação como o de Rick. Kathy encaminhou os e-mails sobre os aparelhos de comunicação para John Costello do Children's Hospital Boston. Ao respondê-lo, ele encontrou uma pessoa da região que gostaria de marcar um horário para verificar se os seus filhos poderiam usar um equipamento como o de Rick. Também juntamos várias informações sobre cadeiras de corridas e bicicletas que as pessoas vinham nos mandando no decorrer dos anos, e então tentamos retribuir o favor, compartilhando com os outros quando perguntavam sobre equipamentos semelhantes ao nosso.

Por meio dessas pessoas conhecemos histórias incríveis – algumas alegando serem obesos preguiçosos que agora tentavam ser mais ativos para participar de corridas, pessoas que declararam que haviam parado de destruir seus corpos com as drogas e o álcool, já outras com deficiências e que não queriam mais sofrer com suas limitações. E todos nos agradeciam pela nossa inspiração. É difícil imaginar a magnitude de tudo isso – aquela tecnologia permitia que tantas pessoas, de diferentes partes do mundo, assistissem a um vídeo e reagissem a ele. Comunicamo-nos com estranhos ao redor de todo o mundo – de Toronto a Tóquio. Fãs que diziam presenciar a Maratona de Boston nos últimos 27 anos apenas para torcer por nós. Sempre achamos que seria maravilhoso se pudéssemos ajudar outra pessoa, mas agora parece que estamos ajudando um número incontável de pessoas. É inacreditável. E devemos tudo isso à internet.

Mais tarde, alguém modificou um pouco o DVD original e inseriu na tela do computador de Rick a palavra *CAN* (pode) (uma brincadeira com o nosso lema, "*Yes, you can*" – Sim, você pode) e colocou ao fundo a música *I can only imagine* (Só consigo imaginar). Kathy recebeu tantos pedidos do DVD com aquela música que resolveu entrar em contato com a Corporação do *Ironman*. Eles conseguiram os direitos da composição com o grupo *Mercy Me*. Em 2007, o *Ironman* produziu o DVD com a música *I can only imagine*. Ele tem basicamente a mesma sequência do outro DVD, mas o foco estava em nossa atitude confiante, além da música ser diferente. Os dois DVDs ficaram muito populares, e as pessoas ao redor do mundo os apresentam em cultos de igreja, reuniões de negócios e prática de esportes para motivar seu público. É claro que, graças ao *YouTube*, pessoas sentadas diante das telas de seus computadores, em suas casas, assistiram ao vídeo e sentiram-se tocadas a ponto de comentar com outras pessoas e depois encaminhá-lo para seus amigos e familiares.

Ainda tenho dificuldades em entender tudo isso. Acho que as pessoas se prendem à história da equipe Hoyt porque atualmente há tantas histórias ruins por aí. Você ouve falar tanto em drogas e abusos que é muito bom finalmente assistir a uma história que realmente fale de amor e superação. Rick é a minha inspiração, então consigo me identificar com esse sentimento de querer saber sobre algo bom para variar. Costumo ver as coisas sob essa perspectiva. Não tenho dias ruins, pois sei que a vida deve continuar e você simplesmente deve extrair o melhor proveito da situação que tem em mãos. Amo meu filho. E não há coisa alguma que não faria por ele – e ele por mim. Não corremos porque temos de correr, mas porque queremos. Se isso inspirar outras pessoas, fico ainda mais feliz.

Ricky e eu tentamos manter um panorama positivo da vida. Acreditamos firmemente que as coisas que realizamos, no decorrer dos anos, são porque as desejamos com tanto força que concentramos nossas mentes nela, não importava se a questão era encontrar uma forma de nos comunicarmos, possibilitar que estudasse, terminar uma competição de *Ironman*, andar de bicicleta ou correr pelos Estados Unidos. Não tínhamos combinado que talvez pudéssemos ajudar outras pessoas no decorrer desse processo. Todos esses anos estávamos simplesmente correndo, divertindo-me com meu filho – o amor, o elo de ligação, todo sentimento bom que vinha desse esforço, reservávamos para os momentos de competição.

O mundo da tecnologia mudou nossas vidas. Quando me dei conta de que nossa história tocava as pessoas, senti-me ainda melhor em relação a Rick e tudo que tinha realizado. Nossa história foi apresentada a milhões de pessoas. Apesar de não ter sido nosso plano inicial, ficamos satisfeitos por ter acontecido.

Por essa razão, queremos dedicar algumas páginas deste livro às várias pessoas cujas vidas foram tocadas por nós. Suas histórias serão contadas do final do Capítulo 14 até o Capítulo 17 e demonstram o quanto uma simples inspiração pode contagiar. Por sua vez, suas histórias inspiram outros – inclusive a nós – diariamente.

As quatro histórias contadas neste livro são apenas algumas das muitas que chegaram até nós por meio de cartas ou e-mails nos últimos 25 anos.

[CAPÍTULO 1]

Minha História

Nasci em 1º de junho de 1940, em Winchester, Massachusetts, o sexto de dez filhos. Éramos cinco meninos e cinco meninas no clã da família Hoyt, e todos viemos ao mundo no mesmo hospital de Winchester em que meus filhos e até mesmo alguns dos filhos dos meus filhos viriam a nascer com o passar dos anos. Meus nove irmãos e eu fomos criados nos cômodos apertados de uma pequena casa perto de North Reading, a 24 quilômetros do centro de Boston. Éramos todos loiros de olhos azuis, e conhecidos em nossa comunidade por sermos uma família saudável e ativa, apesar de nossas refeições terem sido feitas em turnos e de morarmos em uma casinha com apenas um banheiro. Mesmo assim, fomos criados de uma maneira normal por pais afetuosos que trabalhavam duro, provavelmente nada incomum para a época. Meus pais, Anne e Alfred Hoyt, eram pessoas de moral elevada que permaneceram casados a vida toda. Não eram particularmente severos conosco, contudo, com todas aquelas bocas para serem alimentadas, esperava-se que cada um de nós fizesse a sua parte no trabalho doméstico, quer isso significasse ajudar minha mãe na arrumação da casa ou na execução de algum trabalho manual com meu pai. As minhas tarefas costumavam ser manuais, um padrão de trabalho que me acompanharia durante a vida adulta.

Sempre gostei de um desafio e adorava trabalhar com as mãos. Era recompensador criar algo da maneira mais difícil. Nossa casa era aquecida com um fogão à lenha – ou carvão – então, quando eu tinha idade suficiente fiquei encarregado de cortar as árvores para atiçar o fogo. Meu primeiro trabalho, de verdade, foi quando tinha nove anos, em uma fazenda local chamada Eisenhower's Farm. Ficava a uns três quilômetros de casa. Ganhava dez centavos de dólar por dia para levar as vacas ao pasto, tirar o leite e ainda limpar o esterco e empilhar o feno.

Aos 12 anos, comecei a ganhar 50 centavos de dólar por hora ao trabalhar para um fazendeiro local que tinha propriedades tanto na minha cidade, North Reading, quanto na cidade vizinha, Topsfield, também em Massachusetts. Arrancava as ervas daninhas das plantações, cuidava da colheita e fazia o que fosse necessário por lá. Quando o fazendeiro precisava de ajuda na propriedade Topsfield, levava três ou quatro crianças em sua caminhonete para lá logo cedo, depois nos trazia de volta para North Reading no final do dia, assim que terminávamos o trabalho. Dali em diante sempre tive algum tipo de trabalho que me mantivesse ocupado, ao mesmo tempo que ganhava um dinheirinho. Quando entrei no ensino médio, já tinha trabalhado em fazendas, no posto de gasolina da cidade, além de vários empregos de limpeza e manutenção. Às vezes eu trabalhava 12 horas e chegava a ganhar 18 dólares. Achava que estava rico! Acreditava que estava me dando tão bem ganhando três dólares por hora trabalhando durante o verão como pedreiro, que abandonei a escola no primeiro ano do ensino médio para trabalhar em tempo integral. Demorou um ano para que eu percebesse a importância da conclusão dos meus estudos e voltei para a escola de North Reading – para a alegria dos meus pais. Apesar de apreciar o trabalho pesado, houve trabalhos mais leves, como uma determinada vez em que trabalhei servindo refrigerantes na Price's Drug. Foi divertido trabalhar atrás de um balcão. Apesar de não deixar as crianças me chamarem de "tio", aprendi que você conquista o respeito dos outros quando se esforça para isso.

A família Hoyt era fisicamente ativa, mas eu só comecei a praticar esportes quando tinha 11 ou 12 anos. Antes disso, como estava bem no meio de uma sequência de dez filhos, tinha meus irmãos e irmãs para me manterem entretido. Éramos uma família bem unida e fazíamos várias coisas juntos, tanto em relação ao trabalho como quanto à diversão. Com tantas crianças correndo pela casa e meu pai tendo de sustentar a grande família trabalhando como vendedor de carros éramos bem pobres. Nunca me pareceu que nos faltasse alguma coisa, mas pensando bem, nossa situação financeira era do tipo bem evidente contentar-se com o que tem. Por exemplo, se quiséssemos jogar hóquei, tínhamos que dividir os patins. Tínhamos que cortar um galho da árvore para usar como taco e um pedaço de madeira para servir de disco. Para nós não significava nada, adorávamos o jogo e não importava a forma como iríamos jogá-lo.

Os esportes ocupavam uma boa parte de nossas vidas, e nossos pais sempre nos encorajavam nesse sentido. Eles mesmos eram trabalhadores bem atléticos. Tinham de ser para dar conta de dez filhos, creio eu! Eles nos davam liberdade, mas também esperavam que seguíssemos as regras da casa. Sempre que saíamos da linha, a mamãe não esperava que o papai chegasse para resolver a situação. Ela simplesmente pegava a vassoura e saia correndo atrás da gente pela casa. Sorte a minha que ela nunca me alcançava. O mais surpreendente era que meus pais encontravam tempo para cada um de nós. Esperavam que fizéssemos grandes coisas. Anne Hoyt era uma mãe muito dedicada que administrava a casa com muita eficiência. Ela sentia muito orgulho e amor por cada um de nós e dizia isso com frequência. Até hoje tento manter os valores que ela incutiu em nós. Por exemplo, uma vez por ano, reúno a família toda para um encontro na minha casa – todos os irmãos, seus filhos e netos.

Meu pai sempre achou que as coisas que eu fosse realizar na vida estariam ligadas ao esporte. Ele sempre procurou me guiar para os esportes e, quando tinha um tempo livre, ouvíamos um jogo pelo rádio ou jogávamos bola no quintal. Talvez, porque secretamente me considerava um atleta ou, talvez, fosse algo simplesmente relacionado à sua infância e à natureza dos jogos. Papai gostava de esportes mais do que qualquer outra pessoa que eu conhecia. Sua maior esperança em relação aos filhos era que um de nós pudesse se tornar um atleta profissional. Quando eu era jovem, prestes a me tornar um adulto, lembro-me de papai me dizendo: “Você vai saber que conseguiu se tornar um atleta quando aparecer no programa de televisão *Wide World of Sports”*. Finalmente apareci nesse programa em 1989, mas infelizmente meu pai tinha falecido três anos antes. Alfred Hoyt era um exemplo de homem, o tipo de pai que muitos filhos nunca terão. Ele foi por muito tempo o meu maior fã e sofri muito com a sua morte. No decorrer de sua vida, não importava o que eu estivesse fazendo, ou quais os obstáculos que tinha de enfrentar, ele sempre confiava totalmente em mim. Eu o respeitava por ser um pai que me dava tanto apoio. Dei o melhor de mim para passar aos meus filhos os valores que ele me ensinou.

Parcialmente, graças ao encorajamento dos meus pais e a uma habilidade atlética natural, eu praticamente só pensava em esportes quando cheguei à idade que me permitiu participar deles. Até o sétimo ano só tirei a nota máxima em tudo. Depois, comecei a praticar atletismo. Também comecei a prestar atenção às garotas. Desviei-me um pouco e até fazia com que minha namorada fizesse minha lição para mim no oitavo ano, mas então me concentrei no trabalho e percebi que eu mesmo deveria fazer minha própria lição. Era inteligente, mas óbvio que meus interesses estavam relacionados aos esportes. No final do nono ano jogava futebol, basquete e beisebol. A escola me premiou com uma placa de melhor aluno. Comandava o Grêmio Estudantil, Clubes de Liderança e Clubes de Jovens Garotos. Trabalhei como gerente administrativo do anuário do colégio e era até um jovem Rotariano[2]. Apesar de conseguir tirar boas notas e ter um calendário social bem cheio, minha maior paixão estava nos esportes, e era aí que realmente me sobressaía.

Eu era um menino franzino. Com 14 anos pesava por volta de 50 quilos. Contudo, minha estatura frágil era minha arma secreta. Posso ter sido pequeno, mas era poderoso. No meu primeiro ano na faculdade, jogava no meio campo e na defesa no time de futebol da faculdade. Às vezes, o técnico me deixava como último zagueiro. Ninguém me dava cobertura porque eu era muito pequeno; eles não achavam que eu representava uma ameaça. Então, meus companheiros passavam a bola para mim e eu marcava os pontos. Todos – pelo menos os que torciam pelo time local – curtiam o ataque surpresa.

Em North Reading havia três escolas de esportes – futebol, basquetebol e beisebol. Dos 50 garotos da minha classe, apenas 11 jogavam futebol; então, todos jogavam muito e em posições diferentes. Meus companheiros de time e eu nos machucávamos com frequência, mas adorávamos o jogo. Eu era capitão do time de futebol e beisebol. Era receptor, tinha o braço forte, mas rebatia bem também.

Quando estava no último ano do ensino médio, meu melhor amigo, John Staff, o interbases da escola de North Reading, e eu fomos convidados para um teste no New York Yankees. Era incrível – dois garotos de uma cidade que ninguém nunca tinha ouvido falar, jogando

2 O **Rotary International** é a associação de Rotary Clubs do Mundo Inteiro. O Rotary é uma organização de líderes de negócios e profissionais, que prestam serviços humanitários e fomentam um elevado padrão de ética em todas as profissões. (N. da T.)

na liga principal. Fomos para um acampamento juntamente com 3.500 garotos de outras grandes escolas. Ficamos lá três dias, jogando com os maiores talentos do país. Consegui arremessar algumas vezes no segundo dia, corri até a primeira base enquanto controlavam meu tempo, e rebati duas vezes. Foi isso que consegui fazer durante todo o final de semana, mas meu colega e eu estávamos muito animados por estarmos lá. Só o fato de sair de casa já era uma experiência. Embora não tenhamos conseguido entrar no time, nos sentimos honrados por participar do teste. De volta a North Reading, concentrava minha atenção nos esportes. Entre trabalhar meio período depois da escola como servente de pedreiro, escola e atividades extracurriculares, não dava tempo de dormir muito. Mas com certeza me divertia demais.

Estava sempre ocupado, mas não tão ocupado que não sobrasse tempo para me interessar pelas garotas, por uma em particular, Judy Lieghton, a capitã da equipe de líderes de torcida. Eu a conhecia desde o oitavo ano, mas só ficamos juntos no ensino médio. Judy era uma garota bonita, ambiciosa, confiante e desinibida. Eu era mais introspectivo e tinha uma tendência em seguir a maré. Ela tinha muitos amigos. Eu também. Por nossa cidade ser bem pequena, tínhamos os mesmos círculos de amizade. Descobri que quando Judy queria uma coisa, ela ia até o fim para consegui-la. Levei um tempo até me acostumar com isso. Ela sempre tentava dançar comigo quando eu aparecia nas baladas populares de North Reading nas noites de sexta-feira, mas meus amigos nos interrompiam sempre que dançávamos juntos. Eu gostava dela, mas era muito tímido e não sabia o que dizer. Contudo, com o tempo, fui me soltando e consegui conversar com a Judy, e nos tornamos namoradinhos na escola. Tínhamos 16 anos, e era a primeira vez que estávamos apaixonados. Quando nos formamos em 1959, fomos eleitos o Casal da Turma. No anuário, ao lado das nossas fotos, estava escrito: "Judy e Richie são como arroz e feijão. Raramente verão um sem o outro". Era uma rima boba, mas verdadeira. Desde o dia em que começamos a namorar nos tornamos inseparáveis.

Depois que me formei no ensino médio, ficou óbvio que não havia me preparado para a faculdade. Estava nervoso sobre o próximo passo a ser dado e inseguro quanto a querer entrar na faculdade, então retornei ao meu porto seguro: trabalho manual. Voltei ao setor de construção e trabalhava como pedreiro, construindo chaminés e lareiras. Apesar de gostar do trabalho, não queria seguir carreira. Cada vez mais pensava em me alistar no exército. Meu cunhado, Paul Sweeney, sugeriu que eu procurasse a Guarda Nacional em vez de entrar na ativa. Pensei que, se gostasse, ficaria por lá; caso contrário, poderia fazer uma tentativa servindo de forma ativa ou voltaria para casa e procuraria um novo emprego.

Fiz um treinamento de seis meses no Forte Dix, em Nova Jersey, e adorei. Muitos rapazes odiaram o regime e o treinamento militar durante esse período, mas sempre me dei bem diante de situações difíceis. Recebi a maior condecoração pelo treinamento físico e me formei com honras. No final do treinamento, fizemos alguns testes que determinariam as próximas etapas. Como minha pontuação em eletrônica tinha sido alta, me mandaram para o Forte Bliss, no Texas, para um treinamento avançado em uma escola de mísseis guiados. Apenas alguns de nós, que vínhamos do treinamento básico, tínhamos qualificação para isso. Todo mundo começava com posto de comando ou ficando de guarda por uma semana. Essa parte era horrível. Não era isso o que eu queria fazer, mas logo fui avançando de nível e recebi nomeação para sargento do pelotão.

Quatro meses depois, a Guarda Nacional me mandou de volta para a instalação de Milton Nike, em Milton, Massachusetts. Era um dos locais de mísseis Nike dos Estados Unidos que tinha um sistema de defesa aéreo para combater novas aeronaves que continham mísseis Ájax e Hercules. Eu trabalhava período integral como controlador de mísseis em Milton no sistema Nike Ájax antes de ser transferido para Reading. Lá, fui promovido e enviado para um treinamento extra em El Paso, Texas, sobre o novo sistema Nike Hercules. Finalmente, o exército me mandou de volta para Lincoln, Massachusetts.

Durante o treinamento, meus colegas e eu éramos sentinelas em tempo integral e tratados como se estivéssemos na ativa. Reportávamos ao comando ativo do exército. Usávamos uniforme do exército e fazíamos os mesmos trabalhos de quem está na ativa. A única diferença era que não saíamos do país. Em vez disso, trabalhávamos em vários locais de mísseis, em Massachusetts. Quando descobri que havia vagas para novas áreas de mísseis que alavancariam minha carreira, me candidatei. Progredi rapidamente nos níveis existentes. Um dos meus comandantes acreditava que eu seria um bom oficial, então, ele sugeriu que me candidatasse para a Escola de Oficiais. Tornei-me oficial e quando as áreas de mísseis fecharam, acabei sendo transferido para a Base Aérea de Otis em Cape Cod, Massachusetts, e depois para a Força Aérea Nacional. Assim, acabei fazendo carreira no serviço militar.

Enquanto o serviço militar me mandava de um lado para o outro para aprender eletrônica avançada, Judy estava em North Reading fazendo secretariado. Mantivemos contato enquanto eu estava distante, escrevendo cartas e nos visitando em feriados. Ela se formou e foi trabalhar na General Electric. Quando voltei do treinamento como soldado em tempo integral, decidimos que estava na hora de darmos um passo adiante em nosso relacionamento. Em 18 de fevereiro de 1961, Judy e eu nos casamos. Na época, estava baseado em Milton, Massachusetts, a uma hora de nossa cidade natal. Eu tinha acabado de fazer 20 anos e ela tinha 19.

Éramos jovens e estávamos apaixonados, mas também éramos práticos. Nós dois tínhamos começado novas carreiras e com o serviço militar sempre me mudando de lugar para mais treinamentos, achamos que seria melhor guardar dinheiro para comprar uma casa antes de aumentar a família. Aquele pensamento não durou muito – um ano, para ser exato. Judy e eu ficamos radiantes quando ela descobriu que estava grávida. Compramos uma casa em North Reading por 11 mil dólares e eu voltei aos meus trabalhos manuais, fazendo melhorias em nossa nova casa. Tábua por tábua, tijolo por tijolo, reformei nossa casa nova até deixá-la perfeita. Tirei uma parede e fiz uma lareira com chaminé. Coloquei uma janela panorâmica. E alguns amigos me ajudaram a cavar o porão.

Em pouco tempo, a casa estava completa e pronta para nossa nova família. Tudo parecia estar perfeitamente no lugar. A casa estava pronta. A gravidez de Judy ia muito bem. O bebê estava ativo no útero e nós dois sabíamos que logo teríamos outro atleta na família. Não podíamos estar mais felizes ou animados. Tudo o que tínhamos a fazer era esperar pela chegada do bebê.

[CAPÍTULO 2]

O Nascimento de Rick

Sempre soubemos que queríamos ter filhos, muitos deles. Talvez dissesse isso por causa da minha juventude e inexperiência, mas imaginava que teríamos uma prole que iria competir com a que eu havia crescido. Ter crescido com todos aqueles irmãos e irmãs tinha sido uma experiência tão positiva para mim que eu queria o mesmo para os meus filhos. Tinha esperança de montar um time de futebol, mas concordaria com um time de hóquei.

Sem levar em conta quantos filhos íamos acabar tendo, Judy e eu estávamos felizes da vida pelo fato de sermos pais pela primeira vez. Sabíamos que era apenas o início da nossa família. Parecia natural. As outras pessoas da nossa idade estavam fazendo o mesmo – casando e começando uma vida juntos. Era um momento de muita emoção em nossas jovens vidas. Tanto Judy quanto eu tínhamos empregos estáveis, uma família que nos apoiava e bons amigos. De acordo com a opinião geral, éramos felizes, saudáveis e apaixonados. Em meio a tanta alegria, é possível que tenhamos nos aproximado da paternidade meio que cegos pela alegria. Mas quem poderia nos culpar? Tudo parecia estar acontecendo da forma mais perfeita possível. Sabíamos muito pouco sobre como a vida poderia mudar drasticamente em questão de momentos. Se, como diz o ditado, os pais não vêm com manuais, certamente não havia manual para o que estávamos prestes a enfrentar.

Em 10 de junho de 1962, o Boston Bruins perdeu para o Maple Leafs[1] de cinco a sete, e meu primeiro filho, Richard Eugene Hoyt Jr. nasceu, duas semanas depois da data prevista. Rick chegou ao mundo no Winchester Hospital, o mesmo hospital em que minha mãe havia dado à luz a mim 21 anos antes. Cheguei tarde para conhecer meu primogênito, pois estava trabalhando em uma base do exército que ficava à uma hora de distância, em Milton, quando Rick chegou. Tinha levado Judy ao hospital de madrugada quando ela acordou sentindo contrações. Assim que fizemos o cadastro de entrada e uma enfermeira a levou em uma cadeira de rodas para um quarto particular, nosso médico de família disse que, como era o primeiro parto de Judy, não havia como dizer quanto tempo levaria. Ele sugeriu que seria melhor eu me apresentar no trabalho em vez de ficar esperando por algo que poderia levar o dia todo para acontecer. Naquela época, os pais não tinham permissão para ficar na sala de parto. Assim, confiamos que o médico sabia mais do que nós e que o parto de Judy seguiria seu curso normal acontecendo da forma mais tranquila possível, assim como havia sido a sua gravidez sem intercorrências. Dei um beijo de despedida em Judy e fui trabalhar com a promessa do médico de que ele seria o primeiro a me telefonar.

1 Boston Bruins e Maple Leafs são times de hóquei norte-americanos. (N. da T.)

Mal consegui me concentrar no trabalho. Estava tão feliz com o fato de ser pai pela primeira vez. Não conseguia parar de pensar na aventura que Judy e eu iríamos embarcar. Não fazia muito tempo que nós mesmos tínhamos sido crianças, o casal de ouro do ensino médio. Ela era a capitã das líderes de torcida e eu o capitão do time de futebol. E agora íamos ter um bebê. Sentia uma espécie de ansiedade nervosa.

O telefonema que eu estava esperando chegou ao final da manhã. Mas eu não esperava ter ouvido nada daquilo que ouvi. Primeiro, o médico me disse que eu era pai de um menino. Queria gritar a novidade por todos os cantos do posto de comando. Vislumbrei os próximos 18 anos – meu filho e eu jogando beisebol ou taco, ou arremessando discos de hóquei na garagem. Mas então o médico me explicou que ocorreram complicações durante o parto. Judy estava estável e se recuperando, mas nosso filho apresentava sinais de problemas. Era possível perceber, pelo tom do médico, que a situação era grave. Quando eu o pressionei para que me desse mais detalhes, ele não parecia conseguir elaborar uma resposta direta. Sugeriu que tudo ia ficar bem, que Rick poderia ser como qualquer outro bebê. Ao mesmo tempo, ele não queria me dar uma falsa sensação de esperança. Minha mente girava, pensando no que aquilo poderia significar. Estava chocado e não conseguia entender o que estava acontecendo. Quais problemas? Como isso poderia ter acontecido? Não tínhamos feito nada errado. Judy tinha passado por toda a gravidez de forma muito saudável. Mais do que qualquer coisa, estava preocupado com minha esposa e meu filho recém-nascido. Desliguei o telefone, sentindo-me confuso e assustado e querendo encontrar minha família o mais rápido possível. O percurso até Winchester foi o mais longo da minha vida.

Quando cheguei ao hospital, Judy ainda estava sedada por causa da medicação que haviam dado a ela, e não conseguia me contar muito bem o que tinha acontecido. Ela sabia que nosso filho tinha ficado bem ativo durante o nascimento e que os médicos tiveram problemas ao tirá-lo de dentro dela. Tiveram de puxar e virar muito para conseguir fazer com que ele saísse da maneira correta. Ela se lembrava de ter ficado nervosa na sala de parto quando o nascimento estava chegando ao fim, com enfermeiras andando para lá e para cá e os médicos conversando com tons de vozes preocupados. Quando finalmente conseguiram fazer o bebê nascer, Judy não ouviu choro algum ou algum outro som de bebê. Eles não a deixaram segurá-lo, então ela mal tinha olhado para ele antes de tirarem-no de lá rapidamente "Os médicos dizem que ele vai ficar bem." — ela não parava de dizer "Ele vai ficar bem."

Ela estava chateada pelo fato de o bebê não ficar com ela. Todas as outras mães estavam com seus bebês e podiam amamentá-los, conversar com eles, conhecê-los melhor. Judy estava arrasada por não poder fazer o mesmo. Lá estávamos nós, dois pais de primeira viagem sem saber o que estava acontecendo e sem o nosso filho. Nenhum de nós conseguia entender o que tinha acontecido de errado. Quando Judy dormiu para se recompor, eu fiquei mais otimista, porém cauteloso. Andava pelo corredor, bebia café amanhecido, e esperava ouvir dos médicos ou enfermeiras, a qualquer momento, que o nosso filho, nosso pequeno atleta, estava bem. Não recebi notícia alguma naquela espera que parecia uma eternidade. Ninguém vinha falar comigo, e não conseguia encontrar ninguém que parecia saber onde nosso filho estava e o que havia de errado com ele. Finalmente, apareceu uma enfermeira que me levou para uma ala diferente do hospital, uma unidade neonatal de terapia intensiva. Tive de me lavar e vestir com um jaleco por cima da minha roupa antes de poder ver nosso filho pela primeira vez.

Dei um suspiro de alívio quando o vi deitado na incubadora. Era um bebê bem bonito – grande e com uma aparência saudável e não tinha aquela pele vermelha e manchada que os bebês têm. Não sei o que estava esperando, mas para mim ele parecia saudável. Na verdade, deitado de barriga para baixo, parecia tão ativo como quando estava na barriga, esticando-se e alongando os braços e as pernas. Era quase como se estivesse fazendo flexões. Eu gostei do que vi, pensando com alegria que ele já estava se preparando para uma carreira esportiva. Mais tarde descobri que estava tendo espasmos musculares. Seus músculos pareciam bem rígidos. Dava para ver que estava alongando, queria dizer a ele que não havia problema em relaxar, que não tinha que se esforçar tanto. Perguntei à enfermeira porque estava se mexendo daquela maneira e porque estava em uma incubadora. Ela disse que ainda estavam fazendo testes para descobrir exatamente o que havia de errado com Rick, mas o que eu chamava de flexões eram provavelmente espasmos musculares. Ela me disse que o bebê estava na incubadora porque tinha dificuldade de respirar. Na incubadora era possível controlar o fluxo de oxigênio e monitorá-lo de perto enquanto continuavam a fazer os testes. A explicação me deixou preocupado, mas parecia apenas uma medida de precaução, um acompanhamento diante das complicações ocorridas durante o parto. Depois de ver o nosso belo garoto, não conseguia entender como alguma coisa podia estar errada. Aos meus olhos, ele parecia bem.

De volta ao quarto de Judy, contei a ela o que tinha visto – que tínhamos um lindo menino que parecia saudável para mim. Disse a ela que a enfermeira havia dito que ele estava tendo dificuldades respiratórias e espasmos musculares, mas garanti a Judy que o bebê parecia estar bem e que não devíamos nos preocupar até que recebêssemos algum tipo de diagnóstico oficial. Então, o médico que fez o parto do bebê veio ao quarto e explicou a extensão das complicações durante o nascimento e o que sabiam até agora sobre as condições do bebê. Finalmente, recebemos algumas respostas. As notícias que ouvimos eram conclusivas e devastadoras. Definitivamente havia algo errado com Rick, mas eles tinham de continuar os testes para determinar o prognóstico que estávamos esperando. Sabiam que Rick tinha estado ativo durante o nascimento e a gravidez. Antes do parto, tinha se virado, ficando do lado errado do cordão umbilical, o que fez com que seu pescoço ficasse enrolado nele, cortando o fluxo de oxigênio para o cérebro. Ele tinha efetivamente se estrangulado. Os poucos minutos que o médico levou para desenrolar o cordão haviam deixado danos irreparáveis em seu cérebro.

Judy e eu estávamos perplexos. Lesão cerebral? O que isso significaria para o futuro dele? O médico só conseguia nos dizer que os testes indicavam que nosso bebê não tinha controle físico de seus membros e de forma geral a probabilidade era de que nunca teria. Ele estava respirando sozinho, mas com dificuldade. A incubadora parecia ajudar. Além disso, estavam tendo dificuldade de dar a mamadeira a ele. Tínhamos tantas perguntas não respondidas. Não sabíamos que doença específica ou deficiências nosso bebê tinha e quanto tempo isso o afetaria. Judy e eu nunca havíamos recebido treinamento médico profissional, e era difícil processar o que ele estava falando. Tínhamos vinte e poucos anos e nossas esperanças eram de um longo futuro com nosso filho. Agora estávamos com medo de que nossos sonhos haviam sido frustrados.

Estávamos no início dos anos 1960, antes dos novos avanços na tecnologia médica. A relação médico-paciente não era tão aberta quanto é agora. As pessoas comuns não tinham acesso à informação pela internet ou pelo Discovery Channel. Só sabíamos o que nossas mães haviam nos contado por sua própria experiência, e aquele não era um assunto que aparecia com frequência nas conversas. As mulheres ficavam grávidas e tinham filhos saudáveis o tempo todo, sem os benefícios da tecnologia moderna. Os cuidados com o pré-natal limitavam-se a vitaminas e exames físicos. Ultrassons só estavam sendo desenvolvidos para uso em obstetrícia, e não havia como ver nosso bebê enquanto ainda estava no útero. Durante o parto, as mulheres raramente eram ligadas a monitores fetais, então cesarianas de emergência não eram comuns. Os cirurgiões com certeza não agendavam cesarianas com antecedência. Sem o auxílio de monitores durante o nascimento, não havia como saber se o bebê estava sofrendo. Na maioria dos casos, a pessoa simplesmente entrava no hospital e saia de lá depois de alguns dias com um bebê no colo.

Nosso bebê estava bem cinco minutos antes de nascer porque o cordão ainda não estava enrolado em seu pescoço. A percepção de que quase tínhamos conseguido ter um bebê saudável provavelmente foi o golpe mais duro de todos. Mas essas coisas acontecem, e foi essa a atitude que minha esposa e eu acabamos adotando com o tempo. Tínhamos que adotar. Caso contrário, teria sido doloroso demais. Nossa situação era bem difícil, mas sabíamos que tínhamos de encontrar uma maneira de ir adiante.

Quando o médico nos deixou sozinhos para digerir a notícia, Judy e eu choramos muito. Depois, tivemos uma conversa bem séria. Àquela altura, não tínhamos nem preenchido a certidão de nascimento e dado um nome ao nosso filho. Meses antes, havíamos decidido que, se fosse um menino, seria Júnior. Jamais vou me esquecer do olhar da minha esposa quando ela me perguntou se, dadas as circunstâncias, eu ainda queria que nosso primogênito tivesse o mesmo nome que o meu. Eu nem hesitei "Pode apostar a sua vida que sim", disse a ela. Estava decidido que passaríamos por isso de maneira triunfante e nosso filho seria um menino normal com dois pais amorosos. Sabia que não seria fácil, mas aquele era o meu garoto, meu xará. Eu o amei no primeiro momento em que o vi. Estava determinado a ser o melhor pai que pudesse, independente do fato de ele ter uma deficiência.

Sentimos um turbilhão de emoções naqueles dias que seguiram o nascimento de Rick. Judy sentia-se mal pelo fato de as outras mães poderem ir para casa com seus bebês saudáveis, ao passo que a gente continuava esperando para descobrir o destino do nosso filho. Tínhamos tantas perguntas não respondidas. Ela estava preocupada se conseguiria lidar com uma criança deficiente. Conversamos sobre finanças e se teríamos condições de oferecer o tipo de cuidado que uma criança deficiente precisaria. Até ficamos bravos um com o outro, embora nós dois soubéssemos, lá no fundo, que nenhum de nós era culpado pelo que tinha acontecido. Tinha sido algo imprevisível. Discutimos a possibilidade de Rick não conseguir sobreviver várias vezes. Sabia que em um cantinho da mente de Judy, ela sentia que a morte de Rick seria o melhor a ocorrer e ela rezava a Deus para que livrasse nosso bebê e removesse o fardo de criá-lo dos ombros dela. A situação era extremamente difícil e exigia muito de nós. Era difícil não sentir raiva. As pessoas lidam com os obstáculos da vida de forma diferente, e esse era o maior obstáculo que Judy e eu tínhamos de ultrapassar. Nos sentimos traídos. De forma alguma, era aquilo o que tínhamos planejado.

Com nada mais a fazer a não ser esperar pelos resultados dos testes, voltei para o trabalho. As despesas médicas que se acumulavam mostravam a necessidade do meu retorno. Judy ficou no hospital por mais alguns dias, recuperando-se do parto. Eu a visitava sempre que possível, mas os médicos hesitavam em nos deixar ficar mais tempo com o bebê. Creio que não consideravam seguro antes que pudessem fazer novos testes. Levou mais duas semanas até que pudéssemos levar Rick para casa. Enquanto isso, nossa família nos apoiava. Minha mãe, que tinha dado à luz dez crianças saudáveis no mesmo hospital, estava confusa e chateada porque os médicos não conseguiam ou não queriam nos dar mais informações. Ela telefonou muitas vezes para o hospital, tentando encontrar alguém que falasse com ela. Para nossa família, de ambas as partes, parecia que, toda vez que tentávamos obter respostas da equipe médica, éramos ignorados ou afastados.

O único conselho que pareciam ser capazes de nos oferecer era que esperássemos para ver o que aconteceria. Não estávamos satisfeitos com isso, mas simplesmente não havia nada mais a fazer. Por um tempo, os médicos disseram que Rick seria mais bem-tratado no hospital do que em casa, mas depois de tudo que tínhamos passado, não havia como deixar Rick por lá. Finalmente, quando ficou óbvio que não iríamos conseguir nenhuma resposta definitiva em curto prazo, os médicos cederam – ou desistiram. Eles nos disseram para levar Rick para casa, como se ele fosse um bebê normal. Estávamos radiantes por finalmente conseguirmos levar nosso garoto, embora o pensamento do desconhecido e de como nosso filho se sairia quando chegasse em casa era assustador. Acho que, de várias maneiras, estávamos em um processo de negação. Decidimos que Rick ficaria bem e que assim que estivesse em casa conosco, seríamos uma família normal, saudável e feliz.

Naquele dia, enquanto íamos para casa com Rick nos braços, no final de janeiro, ele ficou tranquilo nos braços de Judy. Eu observava como ele se contorcia e remexia seu corpo, sem emitir um som sequer. Por uma fração de segundos, perguntei-me se estávamos prontos para isso. Não parava de pensar na minha própria infância. Na criança despreocupada que eu havia sido, com todas as oportunidades que tive, apesar do fato de ter crescido em uma família grande com um orçamento apertado. Percebi como todos tivemos tanta sorte por sermos tão saudáveis e ativos. Era exatamente aquele tipo de vida que queria oferecer aos meus filhos.

Todos dizem que uma criança muda a sua vida. Sabíamos que nosso filho Rick estava prestes a mudar nossas vidas de uma maneira que jamais havíamos imaginado.

[CAPÍTULO 3]

Diagnóstico

Aqueles primeiros meses com Rick foram muito dolorosos, especialmente para Judy. Pelo menos eu saía para trabalhar todos os dias e mantinha minha mente ocupada com outras coisas. Mas ela ficava com Rick o dia todo, todos os dias. Embora tivéssemos esperanças de melhora – e toda noite, quando eu chegava do trabalho, esperava ouvir que nosso filho estava melhor, que estava sorrindo ou arrulhando ou começando a rolar – rapidamente ficou óbvio que havia alguma coisa muito errada com nosso bebê.

Para começar, Rick nunca chorava. Não que fosse um bebê calmo. Ele não conseguia chorar e não conseguia fazer barulho. Havia também a questão da alimentação. Tínhamos muita dificuldade para fazer o Rick comer. Ele cuspia tudo e parecia não conseguir engolir o leite de uma forma bem-sucedida. Dormia muito, apesar de ser um sono espasmódico, como os braços e pernas frequentemente se debatendo e os punhos constantemente cerrados, e não acordava para mamar. À noite, tínhamos que colocar o despertador para ter certeza de que acordaríamos para alimentá-lo de acordo com a programação. Então, tínhamos de fazer cócegas nos pés para acordá-lo e alimentá-lo.

Fazíamos tudo dia após dia. Apesar de relatarmos nossas preocupações ao médico da família e de começarmos a levar Rick com frequência ao hospital em Winchester para exames periódicos, ainda não recebíamos respostas médicas. Nem mesmo o nosso médico de família nos dizia o que aconteceria. Era frustrante, mas não havia muito a fazer a não ser seguir em frente, pressionando por respostas e tendo esperanças de melhora.

Judy e eu tínhamos experiência suficiente com bebês de amigos e de familiares para saber que Rick não estava se desenvolvendo de acordo com o esperado. Ele não estava atingindo novas etapas. Livros como *O Guia do Bebê* nos diziam: "Você sabe mais do que pensa que sabe", portanto, confie em seus instintos. Nossos instintos e evidências visíveis nos diziam muitas coisas. Com três meses de idade, Rick deveria conseguir erguer a cabeça e deitar confortavelmente de bruços. Deveria tentar pegar chocalhos e balançar os braços e as pernas. Deveria comunicar suas necessidades por meio do choro. Ele deveria fazer todas essas coisas, mas não fazia. Conseguia nos seguir com os olhos e parecia reagir às nossas vozes, mas seus movimentos e maneirismos eram estranhos e pareciam antinaturais. Aos seis meses, enquanto outros bebês sentavam no cadeirão e rolavam o corpo, Rick ainda permanecia na mesma posição horizontal e não se esforçava para tentar sentar. Também não balbuciava como outros da mesma idade.

Para ajudar a pagar as despesas médicas, comecei meu próprio negócio de construção e trabalhava durante à noite e nas minhas folgas do serviço militar. Judy tornou-se mãe em tempo integral. Não era incomum para uma mãe de primeira viagem ficar em casa com o bebê nos primeiros meses, mas sabíamos que Judy não voltaria a trabalhar. Ela teve de pedir demissão. Rick precisava dela em casa. Então, lá ela ficou sozinha com o bebê. O mais difícil para ela era quando outras mães passavam em casa com seus bebês, querendo que ela e Rick fossem passear pelo bairro com eles. Ela chegou ao ponto em que tinha pavor de sair e de até mesmo atender a porta por medo de ter que falar com as outras mães sobre os problemas de Rick. Ela começou a passear com Rick quando todas as outras mães já tinham voltado para casa. Era difícil para ela, e até mesmo mais embaraçoso, ver outras mães empurrando os carrinhos com seus bebês saudáveis.

É claro que tínhamos o apoio de nossa família, mas sabíamos que as outras pessoas comentavam e o que eles diziam era que estávamos desperdiçando nosso tempo em uma causa perdida. Algo estava obviamente errado com nosso bebê, quer fosse um defeito físico ou mental. Era incrivelmente difícil e, sem nenhuma resposta real, sentíamos que não havia solo seguro para pisarmos. Então, as coisas ficaram piores. Quando Rick tinha sete meses, percebemos que estava tendo uns espasmos estranhos. Judy e eu decidimos que não podíamos esperar mais. Não podíamos continuar esperando que acordaríamos e encontraríamos um bebê saudável. Tínhamos que obter algumas respostas para que pudéssemos entender como poderíamos ajudar Rick. Marcamos uma consulta com um pediatra especializado em Medford.

Depois de mais uma bateria de testes, finalmente conseguimos um diagnóstico oficial. Rick tinha oito meses. A notícia era de partir o coração. O especialista nos disse que Rick tinha paralisia cerebral, um distúrbio neurológico que afeta permanentemente os movimentos do corpo e a coordenação dos músculos. Eu não tinha ideia do que ele estava falando e jamais tinha ouvido antes as palavras *paralisia cerebral*. Nem Judy. Estávamos pasmos.

Era difícil aceitar a notícia, especialmente sendo sobre um distúrbio que nunca tínhamos ouvido falar a respeito: “Tem certeza?”, perguntamos ao especialista. O médico disse que tinha certeza do diagnóstico. Rick tinha sofrido uma lesão cerebral quando ficou sem o oxigênio do cordão umbilical durante o parto. Ele tinha um distúrbio neurológico chamado paralisia cerebral. A única coisa que ele não conseguia determinar era a dimensão exata da lesão. As funções motoras de Rick tinham sido seriamente afetadas, mas levaria anos de desenvolvimento para que pudéssemos saber ao certo a extensão dos danos à capacidade mental. Ele até chegou a abordar a possibilidade de uma cirurgia cerebral, de cunho exploratório, em que os médicos iriam intencionalmente lesionar outra parte do cérebro de Rick a fim de agir contra a parte que já estava lesionada. Havia uma chance de 50% de que Rick sobreviveria à operação, e eles não tinham certeza absoluta de que funcionaria. Imediatamente dissemos a eles que aquele tipo de abordagem estava fora de cogitação.

Fomos informados que uma das maiores dificuldades em lidar e tratar da paralisia cerebral era que um caso era diferente do outro. Não havia cura conhecida. Pode ocorrer durante o parto, durante a gravidez, e até mesmo em crianças de até três anos. Alguns bebês são afetados apenas fisicamente, ao passo que outros podem ter distúrbios mentais ou uma combinação dos dois. Por haver graus variáveis de gravidade, algumas pessoas com paralisia cerebral conseguiam falar bem, mas podiam andar mancando um pouco. Outras podiam falar bem devagar ou nem falar. Alguns andavam e até corriam. Alguns precisavam de cadeira de rodas. Nosso médico de família nos explicou em outro momento, em Winchester, que o filho da irmã dele tinha paralisia cerebral, mas ele não fazia ideia do que estava errado com Rick, dada a gravidade de seu caso comparado com o de seu sobrinho.

O especialista em Medford nos deu livros sobre paralisia cerebral, e fomos a outros médicos e terapeutas que nos deram mais explicações. Era muita coisa para digerir. Rick era o que os livros médicos chamavam de tetraplégico espasmódico. Seus quatro membros tinham sido seriamente afetados. Disseram-nos que ele provavelmente nunca andaria porque seus músculos eram muito tensos e rígidos. Algumas crianças com tetraplegia também têm tremores e uma agitação incontrolável de um lado do corpo. Isso explicava os espasmos de nosso filho.

O que tudo isso significava em relação ao futuro de Rick era devastador. Sentados, ouvindo os médicos e tentando entender o que estavam dizendo, acho que Judy e eu estávamos em estado de choque. Era a única forma de conseguirmos controlar nossas emoções e evitarmos desmoronar na frente de qualquer um. Perguntamos qual deveria ser o próximo passo e como deveríamos proceder com o tratamento. A resposta subitamente deixou claro porque nunca tínhamos ouvido falar de paralisia cerebral antes ou mesmo visto uma criança em cadeira de rodas. Eles nos aconselharam a colocar Rick em uma instituição. "Esqueçam dele", disseram os médicos. "Não o visitem. Não pensem nele. Continuem com suas vidas", foi isso que famílias em situações semelhantes haviam feito antes de nós.

Os médicos nos lembraram que éramos jovens. Podíamos ter outros filhos. Havia uma chance em um milhão de aquilo acontecer de novo conosco. Era como se estivessem sugerindo que devêssemos esquecer que Rick tinha nascido. Judy e eu podíamos não ter conhecido ninguém que tivesse feito aquilo – ou pelo menos não tínhamos conhecimento do fato – mas sabíamos como eram as instituições. Naquela época, eram grandes escolas estaduais para onde as pessoas com deficiências eram mandadas. Tínhamos ouvido tantas histórias tristes sobre crianças e pessoas nessas instituições, histórias de pacientes que ficavam o dia todo em um canto e só tomavam banho de vez em quando, bebês com fraldas sujas que ficavam chorando no berço por horas sem fim.

Judy e eu não precisamos nem de um segundo para tomar nossa decisão. Horrorizados pela sugestão de negar a nosso filho uma vida ao lado do pai e da mãe, olhamos um para o outro e dissemos "De jeito nenhum". Os médicos tentaram nos convencer de que Rick receberia um tratamento melhor em uma instituição e que não havia nada que pudéssemos fazer para ajudá-lo em casa. Disseram que nosso filho não passava de um vegetal. Nós nem ligamos. Não conseguíamos nos imaginar abandonando Rick e continuando a viver sem ele, como se nunca tivesse existido. Não importava o que havia de errado com ele, Rick ia ficar em casa conosco.

Quando saímos do consultório médico com Rick no colo, o discernimento entre mim e Judy era que não tínhamos outra escolha senão a de criar aquele bebê, tentando dar a ele uma vida normal. No caminho de volta para casa, as comportas se abriram. Choramos o caminho inteiro. Não conseguia parar de pensar no que o médico tinha nos dito sobre a condição de Rick e como os especialistas haviam chamado nosso filho de vegetal. Parecia quase impossível que isso tivesse acontecido com a nossa família. Queríamos respostas há tanto tempo, mas as que nos foram dadas quase nos destruíram.

Nos 20 minutos que levamos até chegar em casa, senti um turbilhão de emoções, da raiva à tristeza e ao desapontamento. Se os médicos estavam certos, Rick jamais seria o atleta que eu esperava que se tornasse. Ele provavelmente jamais iria andar ou falar. Quando crescesse mais, teríamos de comprar uma cadeira de rodas. Pensei muito sobre isso – uma cadeira de rodas para uma criança, quando eu nunca tinha visto um adulto em uma. Meus sonhos de ter o número suficiente de filhos para montar um time pareciam tolos e completamente fora de alcance naquele momento. Rick precisaria da nossa atenção absoluta. Eu já tinha começado a ruminar uns números, imaginando quanto custaria dar a ele o tipo de cuidado necessário para ficar em casa. Judy e eu sabíamos que não seria fácil, mas a outra possibilidade era inimaginável. Em meio às nossas lágrimas no caminho de volta para casa, começamos a planejar o resto de nossas vidas com Rick.

Judy e eu decidimos que precisávamos procurar aconselhamento de alguém de fora da comunidade médica. Telefonamos para o pastor da nossa congregação, que havia feito o nosso casamento, e perguntamos se poderia ir até a nossa casa para conversar conosco. Acho que só queríamos ouvir que a decisão de manter Rick conosco tinha sido correta. Sentimos que não havia escolha, mas precisávamos de uma opinião imparcial, de alguém que confiávamos e que entendesse dessas questões de um ponto de vista moral. Explicamos ao ministro tudo o que havíamos passado nos últimos oito meses. Contamos qual tinha sido o diagnóstico do especialista. Mostramos nosso garotinho a ele, deitado em silêncio e de forma rígida em seu berço. Rezamos juntos e conversamos.

Foi um encontro reconfortante – um momento verdadeiramente decisivo em nossas vidas. O ministro não nos deu um ultimato ou nos recomendou que deveríamos escolher um caminho ou outro. Em vez disso, em vez de colocar panos quentes, ele foi bem direto. Disse que não podíamos prever o futuro, e como ministro, não dava para saber nada mais sobre a condição de Rick do que nós já sabíamos. Apesar de se sentir hesitante para oferecer um conselho, ele pontuou as duas alternativas que tínhamos. Ou colocaríamos Rick em uma instituição e esqueceríamos ele, ou iríamos criá-lo em casa fazendo o melhor que pudéssemos. Já tínhamos recusado a primeira alternativa quando os médicos a propuseram, então sabíamos exatamente o que fazer e nos sentimos confiantes com a nossa decisão. Iríamos criar e amar Rick como faríamos com qualquer criança. Dali em diante não discutimos mais as opções. Tornamo-nos defensores de nosso filho. Também passamos a nos encontrar com famílias com crianças deficientes e tentamos ajudar uns aos outros, compartilhando nossas histórias e nos apoiando por meio de nossa amizade.

Assim, apesar das óbvias necessidades especiais de Rick, nós o tratamos como um bebê normal. Quando os médicos perceberam que ficaríamos com ele, organizaram com vizinhos e donas de casa do bairro, que faziam serviço voluntário, visitas à nossa casa para nos ajudar com a terapia domiciliar – alongando e massageando os braços e pernas de Rick. Quando ficou um pouco mais velho, começamos a levar Rick ao Children's Hospital Boston para sessões de fisioterapia. Era uma viagem de uma hora e quinze minutos e, dependendo das consultas de Rick, íamos lá bem cedo uma vez por semana.

Quando ficamos sabendo que crianças com paralisia cerebral têm atrasos no desenvolvimento e dificuldades de aprendizagem, ficamos preocupados, a princípio, sobre o que aquilo poderia significar para Rick. Mas não nos preocupamos por muito tempo. Quando falávamos com ele e olhávamos em seus olhos, ele retribua o olhar. Sabíamos que era esperto. Não conseguia se comunicar pelo choro ou pela fala, mas tinha outros meios de nos mostrar o que estava sentindo ou pensando. Judy e eu percebemos que gostava de ficar na janela para que pudesse me ver quando sabia que eu estava chegando do trabalho. Quando passava pela porta, ele dava o maior sorriso. Era algo pelo qual valia a pena voltar para casa, apenas para ver o sorriso em seu rostinho e o brilho em seus olhos. Não havia como negar sua inteligência.

No Children's Hospital Boston finalmente nos encontramos com um médico que concordava conosco. Dr. Robert Fitzgerald era um psicólogo que estava confinado a uma cadeira de rodas desde um episódio de pólio na adolescência. Ele oferecia terapia familiar muito antes de ser uma prática comum. Sentimos ser ele o primeiro médico a nos ouvir de verdade, dando-nos ideias para fazer da infância de Rick a mais normal possível. Ele nos encorajou a tratar Rick como se fosse saudável, incluindo-o nas atividades familiares, e dando a ele as experiências que os bebês de nossos amigos estavam vivenciando.

Ao vermos Rick crescer e se adaptar, Judy e eu começamos a falar cada vez mais em aumentar a família. Naquela época, Rick estava com 18 meses. Queríamos muito dar a ele um irmão ou irmã, mas é claro que estávamos preocupados com o que pudesse vir a acontecer. Tinham nos garantido de que as chances eram mínimas ou nulas de que algo como o que tinha acontecido no parto de Rick fosse ocorrer de novo. Mesmo assim, ficávamos nervosos. Eu tinha dois empregos – o dia todo na Guarda Nacional e meio período na minha firma de construção – só para pagar o tratamento de Rick. Outra criança deficiente nos esmagaria emocionalmente e financeiramente não conseguiríamos sobreviver.

O Dr. Fitzgerald nos garantiu que não havia nada a temer. Éramos capazes de ter bebês saudáveis. Nosso médico de família poderia monitorar a gravidez e ficar alerta antes mesmo de os problemas acontecerem. O Dr. Fitzgerald nos disse que ter outro filho traria equilíbrio à família e nos forçaria a nos doarmos menos a Rick. Nossa devoção ao primogênito era aparente, mas estávamos claramente sendo superprotetores por causa da deficiência. Desde o início pressionávamos os demais a tratarem Rick de forma normal, não queríamos que fôssemos nós as pessoas a tratá-lo de forma diferente, mesmo que não intencional. Decidimos que aquele era o momento certo de ter outro filho.

Não demorou muito para Judy engravidar novamente. Em 17 de abril de 1964, nosso segundo filho, Robert Stanley Hoyt, nasceu, gritando com toda a força de seus pulmões, no mesmo Winchester Hospital em que Rick e duas outras gerações da família Hoyt haviam nascido. As pessoas com frequência perguntam por que retornamos ao hospital em que havíamos sofrido complicações durante o parto. Essas coisas simplesmente acontecem e cabe a você lidar com elas. Amaríamos Rick da mesma forma se ele nunca tivesse se enrolado no cordão umbilical.

Não houve complicações no nascimento de nosso segundo filho. Tivemos um lindo menino saudável e mal esperávamos para levá-lo para casa para conhecer seu irmão mais velho.

[CAPÍTULO 4]

Lembranças da Infância

Com dois garotinhos em casa, não havia tédio. Quando nossa família de três ampliou-se para incluir o pequeno Rob, aprendemos rapidamente que ter dois filhos menores de três anos poderia, às vezes, ser bem trabalhoso. Acrescente a isso o fato de que uma criança era saudável e a outra tinha necessidades especiais. Mesmo assim, estávamos determinados a manter nossa promessa de que criaríamos Rick como qualquer criança.

Até o momento, Judy e eu tínhamos feito o impossível para que Rick tivesse uma infância normal. Quando seu irmãozinho chegou, nosso maior desafio era garantir que Rick não se sentisse de fora quando Rob com certeza completasse certas etapas do desenvolvimento infantil.

Quando Rob começou a engatinhar e a explorar tudo ao redor da casa, rascunhei um projeto de uma *scooter* para que Rick pudesse participar. Nós a chamávamos de Deslizador, e era simplesmente uma cesta de metal posicionada sobre rodas. Judy colocou um travesseiro na cesta para que Rick ficasse confortável e quando o colocamos em cima do travesseiro, seus bracinhos e perninhas rígidos começaram a chutar e a se mover para frente e para trás. Ele entendeu o funcionamento rapidamente, e os dois garotos se divertiram muito deslizando juntos pela casa. Também fiz uma bola de terapia, algo que Rick pudesse brincar também. Chamei essa invenção de Bola da Terra. Era uma bola de borracha grande e achatada e colocávamos Rick em cima dela. A superfície macia permitia que Rick se esticasse e pulasse deitado de costas. Os pulos agiam como um tipo de massagem, o que era terapêutico. Mas a bola não deixava de ser uma brincadeira também. Ele e seu irmão brincavam juntos com a bola, e quando Rick caía os dois não paravam de rir. Ela não ficava tão longe do chão, então não havia perigo. A Bola da Terra proporcionou aos garotos horas de diversão.

Assim que nos adaptamos à ideia de ter uma criança com necessidades especiais, a postura dentro de casa melhorou e o mesmo aconteceu com os nossos vizinhos. Nunca vi nada de errado no fato de expormos nosso bebê, mas Judy parecia preocupada. Os vizinhos sabiam que tínhamos um bebê, e naturalmente fariam perguntas. Quando pessoas de fora da família viam Rick e percebiam seu jeito, era sempre estranho tentar explicar nossa situação. Judy sentia-se invadida por ter de responder às perguntas, como se tivesse de se defender por ter escolhido amar nosso filho. Não culpava nossos vizinhos por serem curiosos. Assim como nós, eles nunca tinham visto alguém com a deficiência de Rick. A maioria das pessoas com uma situação similar à nossa ouvia que era melhor manter as janelas e as cortinas fechadas, e não falar sobre a criança que estava lá dentro. Nunca achamos certo agir dessa forma e sabíamos que essa não era uma opção de vida. Quando começamos a levar Rick conosco para todos os lugares que íamos, os vizinhos se aproximaram. Eles sempre ajudavam com as tarefas domésticas, e em um breve período, éramos apenas mais uma família feliz da vizinhança. Desenvolvemos relações de amizade muito fortes.

Queríamos que Rick se desenvolvesse como qualquer outra criança o faria. O Dr. Fitzgerald sugeriu, como primeiro passo, ensinar o alfabeto para ele. Rick sempre gostava de ouvir histórias, mas tínhamos que encontrar uma forma de ensinar a ele o significado das letras e das palavras. Judy teve a ideia de cortar letras de lixa de papel. Como Rick não conseguia controlar as mãos, nós o orientávamos com as lixas para que pudesse sentir enquanto as via. Judy colou as letras e os sinais por toda a casa. E funcionou. Era óbvio que Rick conseguia reconhecer os objetos e associá-los com as letras e as palavras. Também dávamos potes e panelas para ele sentir e perceber a diferença entre frio e calor, aprendendo a não brincar com coisas quentes. De várias formas, era como ensinar qualquer pessoa. Rick não conseguia verbalizar o conhecimento assimilado, mas sabíamos que estava aprendendo, e estávamos determinados a trabalhar para um sistema de comunicação que confirmasse isso.

Quando Rick tinha cinco anos, nossa família de quatro pessoas passou a ser de cinco. Nosso filho mais novo, Russel, nasceu em 17 de outubro de 1967, com os mesmos pulmões saudáveis de Rob. Nossa família estava completa e, com três garotos crescendo em casa, era importante que eu cuidasse do nosso sustento. Aumentei minha carga horária no serviço de construção e trabalhava em período integral para a Guarda Nacional no sistema de míssil Nike Hercules. Tinha em mente a ideia de me tornar um oficial, e quando Russ nasceu, fui aceito e completei o curso na Escola de Oficiais, passando de tenente para major na hierarquia militar. As promoções foram boas e aumentaram meu salário, ajudando-nos a pagar pelas despesas médicas e pela fisioterapia de Rick.

Em termos financeiros, as coisas eram geralmente meio apertadas, mas tínhamos abundância quando se tratava de diversão. Compensávamos a falta de bens materiais procurando passar um tempo com qualidade em família. Na vida, já tinha considerado a caça, a pesca e o *softball* como meus passatempos, mas agora gostava mesmo de passar todo meu tempo livre com a minha família. Ficar com a família é o melhor uso que podemos fazer de nosso tempo livre, e não precisávamos de muito dinheiro extra para ficarmos felizes estando uns com os outros.

Enquanto Rob e Russ cumpriam as etapas do desenvolvimento, nosso filho mais velho cumpria as etapas médicas. Rick teve sua primeira cadeira de rodas relativamente cedo, assim que ficou grande demais e velho demais para ser carregado. A cadeira ajudava muito para mantê-lo em ação e pelo menos para mantê-lo sentado de forma ereta para que pudesse ver o mundo a partir dessa perspectiva. Também ajudava a melhorar a postura e a tensão muscular. O corpo de Rick é como uma geleia de amora. Não há apoio espinhal. As cadeiras de rodas usadas por ele sempre foram adaptadas de forma a impedi-lo de escorregar, pois, como seus músculos estão sempre se retesando e se reajustando, ele precisa da rigidez. Mesmo atualmente, em uma cadeira especialmente adaptada para moldar-se ao corpo dele, ele tem que se reajustar para que fique confortável. A cadeira é o seu estabilizador. Apesar de nunca termos visto um adulto em uma cadeira de rodas, muito menos uma criança, aquilo fazia parte de nossas vidas, uma maneira de aprimorar nossa família e a experiência de Rick como membro dela. Russ disse que, quando eram mais novos, pensava que toda família tinha alguém em uma cadeira de rodas. Em nossas vidas, aquela era a regra, e sempre que Rick precisasse, aceitávamos e o atendíamos com a mesma naturalidade que fazíamos com Rob e Russ. Afinal de contas, aquele tinha sido nosso objetivo desde o princípio – integrar uma criança que parecia fisicamente diferente das outras crianças, mas que sabíamos ser tão vibrante e ativa por dentro quanto seus irmãos mais novos eram por fora.

Com base na sugestão do Dr. Fitzgerald, de que devíamos nos arriscar e deixar que nosso primogênito participasse das mesmas atividades das crianças ativas e saudáveis ao seu redor, levávamos Rick conosco em nossas viagens familiares. Rick ia para toda parte conosco, da mesma forma que as outras crianças. Se íamos até a venda para comprar pão ou leite, as crianças queriam ir junto, incluindo Rick. Levávamos mais tempo para colocar a cadeira dele no carro e ele era acomodado com os demais. Chegava até a levar Rick no meu trabalho de pedreiro de vez em quando. Uma vez, o levei com a cadeira de rodas para o telhado de uma casa em que estava trabalhando para que ele pudesse ver como se coloca uma chaminé. Com as brincadeiras não era diferente. Rick estava sempre no meio da bagunça. Se íamos à praia, Rick ia também. Colocávamos iscas na vara de pescar e a amarrávamos nas pontas dos dedos de Rick, e quando pegava alguma coisa, puxávamos a linha para ele. Rick até jogou hóquei na rua com seus irmãos e com as outras crianças do bairro. Com o taco preso na frente da cadeira de rodas dele e um de seus irmãos o guiando, ele foi um excelente goleiro.

Quando Rick era mais novo, juntávamos a família toda para caminhar. Eu ia na frente, com Rick agarrado ao meu pescoço da mesma forma que os bombeiros fazem; Judy, Rob e Russ vinham logo atrás. Às vezes, as pessoas não sabiam o que fazer conosco. Jamais vou me esquecer uma vez em que estávamos subindo o Monte Monadnock, em New Hampshire. Rick e eu íamos à frente e começamos a subir a montanha, com Judy e os garotos logo atrás. Outra família, que vinha na direção oposta, passou por mim e Rick, deram uma encarada em Rick e continuaram descendo. Quando passaram por Judy e os mais novos, os avisaram: “Tem um cara levando o filho morto lá para o topo da montanha. Estamos achando que ele vai sacrificá-lo!”. Judy achou bem engraçado.

Nadar era o passatempo predileto dos meninos. Quando Rick estava na água, era uma visão a ser contemplada. Nós o levamos a uma piscina pública em Falmouth. Se as pessoas que estavam lá não tinham visto a gente antes, percebíamos alguns olhares de canto de olho e até algumas encaradas. Acho que devia parecer bem estranho mesmo, ver a gente tirando Rick da cadeira de rodas e o jogando na água. Dizíamos a Rick para prender o fôlego enquanto ele afundava na água. Na época, eu não nadava, e nunca tinha feito aulas de natação, mas Rob e Russ aprenderam a nadar cedo e eram ótimos nadadores. Eles nunca deixavam Rick se debater na água e sempre pulavam e o faziam boiar de volta à superfície. Era de se admirar que os outros nadadores não pensassem que os irmãos estavam deliberadamente tentando afogar a criança deficiente. Era uma ótima terapia para Rick. Ele adorava estar na água e era uma ótima oportunidade de estar mais próximo de seus irmãos mais novos e aprender a confiar que eles nunca o deixariam na mão. A natação em si era um exercício de baixo impacto que permitia que Rick se sentisse menos diferente.

Contudo, passamos por alguns momentos de tensão na água. A primeira vez em que morei em El Paso foi antes de casar. Na segunda vez em que fui transferido para lá, levei minha família comigo, e moramos por pouco tempo enquanto os garotos ainda eram pequenos. Para a alegria dos meus filhos, o condomínio em que morávamos tinha uma piscina comunitária. Enquanto eu estava do lado raso, arremessando Rob e Russ para o lado fundo, Rick estava relaxando na beira da piscina. De repente, Rick rolou para a água e rapidamente afundou. Um vizinho teve rápida presença de espírito e correu para a piscina, mergulhou e levantou Rick, deixando-o seguro novamente. Rick voltou à superfície soltando água pelo nariz e pela boca, e rindo de forma histérica.

Quando mudamos para Falmouth, em Massachusetts, morávamos em uma casa que tinha um veio de água de rio que ia dar no mar por meio de uma trilha. No verão, os meninos colocavam coletes salva-vidas e pulavam em uma canoa, remavam para o meio do estuário, e viravam a canoa – derrubando os três na mistura de água salgada com água do rio. Rob e Russ nadavam em volta, encontravam Rick, e o viravam para cima, se necessário. Rick sempre emergia como no caso da piscina, soltando água pelo nariz e pela boca e rindo. Então, seus irmãos tiravam a água da canoa, ajeitavam-na, recarregavam-na e faziam tudo de novo.

Eu estava trabalhando, e Judy sempre olhava de forma preocupada, de onde estava em casa. Enquanto ela cuidava dos afazeres domésticos e de seus projetos, os garotos só se divertiam. Tentávamos dar a eles o máximo de liberdade possível dentro do que considerávamos seguro, mas eles davam uma escapada quando achavam que não estávamos olhando! Milagrosamente, eles sobreviveram às travessuras infantis.

Quando eu estava escrevendo este livro, pedi a meus filhos que contassem histórias sobre a infância deles. Rob me lembrou de um verão quando morávamos em Cape e, Judy e eu, deixamos os três garotos na casa da adorada vovó (a mãe de Judy) uma noite, para que pudéssemos sair e ter um tempo a sós. A vovó tinha muito orgulho de seus tomates plantados em casa que ela mesma tinha cultivado em volta da areia na sua casa em Cape. Como ela conseguiu plantar tudo aquilo naquele solo oleoso e arenoso, extrapola o meu discernimento. Naquela noite de verão, sua plantação de tomates estava pronta para ser colhida, e ela queria dividir o prêmio com os garotos. Sempre um pouco desconfortável ao dar a refeição de Rick, a vovó o cobria da cabeça aos pés com toalhas para pegar a comida que caísse da boca dele. Ela colocou uma fatia de tomate adocicado na boca de Rick, que com um sorriso torto, cuspiu-o em cima dela, deixando todas as toalhas limpas e fazendo-o pousar nos pés descalços da vovó. Os meninos adoraram a reação de horror da vovó. Rob disse que foi uma das melhores refeições que haviam feito. Rick comeu todos os pedaços de tomate do resto do banquete, sem derramar uma gota.

O humor de Rick pode pegar as pessoas de surpresa. Rob se lembrou de quando eram mais jovens e durante uma palestra em uma faculdade local, onde Rick devia estar por lá há uns 15 minutos. Isso aconteceu na época em que Judy ia a escolas e clubes locais para ministrar palestras de conscientização sobre deficiências, e, às vezes, levava Rick e os garotos com ela. Rob e Rick estavam na frente de uma classe de universitários, enquanto Judy falava sobre como viver com um deficiente. Rick estava se divertindo por detrás de sua mãe. Conforme Judy explicava a falta de habilidade de Rick com os braços, ele os chacoalhava desordenadamente com toda a força. É claro que a classe caiu na gargalhada. Quando os alunos começaram a se reunir em volta de Rick, no final da palestra, suas mãos espasmódicas convenientemente encontravam o caminho do traseiro ou do seio de uma garota bonita ao seu alcance.

Russ também tinha boas histórias. Um dia, depois da escola, Rick – que devia estar com 14 ou 15 anos – tinha convencido seus irmãos a colocar nele um vestido da sua mãe. Aparentemente, eles também colocaram um sutiã nele, dentro dele havia frutas que pegaram na cozinha. Deixaram a cadeira de rodas no meio do corredor para que assim que Judy chegasse em casa, depois de resolver umas coisas na rua, veria como seria sua "filha" mais velha se as coisas tivessem sido diferentes.

Russ lembrou-se (e eu me lembro de querer estrangulá-lo na ocasião) – que – por insistência de Rick – ele e Rob cavaram um buraco na mata e colocaram Rick dentro. Rick devia ter uns dez anos na época. Eles começaram a cobrir o buraco com um pedaço de madeira e folhas. Depois, deixaram a cadeira de rodas vazia ao lado com um bilhete que dizia "Pedido de resgate: ampliem o horário de dormir para as dez horas da noite e diremos a vocês onde cavarem". Vocês já podem imaginar o resto. Quando Russ e Rob chegaram em casa um pouco antes do jantar, perguntamos onde estava o irmão deles, eles nos disseram que estava esperando por nós na mata. Depois que Judy e eu saímos correndo para procurar por Rick, Russ sabiamente decidiu que ele e o irmão deviam ir para a casa de um amigo antes que voltássemos, e foi lá que eles ficaram até depois do jantar.

Um elemento central de todas essas histórias é o espírito alegre e resistente de Rick. Ele sempre foi muito tranquilo, mas faria qualquer coisa com a pessoa apenas para conseguir uma boa risada. Ele era o tipo de criança que ria com muito mais frequência do que chorava e que parecia ter tomado essa decisão de forma consciente há muito tempo. "Ele sempre ria e sorria para tudo que a vida lhe oferecia", disse-me

Rob. Na dor e na tristeza, diante de todos os desafios, todos os dias desde o primeiro dia. Rob sempre diz que sua maior inspiração vem de seu irmão mais velho, o que lhe dá coragem para continuar, não importa o que aconteça. E foi isso o que escreveu para mim: “Como qualquer coisa que a vida nos oferecer pode ser mais difícil do que ele tem de enfrentar todos os dias?”. Eu mesmo não poderia ter dito de uma maneira melhor.

[CAPÍTULO 5]

Obstáculos para Iniciar os Estudos

Sempre disse que Rick tinha mais paciência e recursos internos do que qualquer pessoa que conheci. Mesmo quando garotinho, já era um guerreiro. Ele se adaptou de forma maravilhosa, considerando sua deficiência, e se deu muito bem com seus irmãos mais novos e com os garotos da vizinhança. Judy e eu íamos à igreja com frequência, então o levávamos à escola dominical e o matriculamos na escola da igreja, uma escola de educação infantil para os frequentadores da nossa igreja. Os professores da escola dominical confirmaram que Rick era esperto, algo que nós havíamos descoberto desde o início. Não havia como negar a luz nos olhos dele. Rick conhecia o alfabeto e conseguia identificar objetos e pessoas. Conseguia sinalizar e expressar suas necessidades para nós. Os médicos que disseram que ele nunca conseguiria ir ao banheiro sozinho ficaram espantados quando dissemos que ele aprendeu a fazer isso antes que seus dois irmãos. Rick aprendeu a controlar a vontade de ir ao banheiro bem cedo. Tudo o que fazia era inacreditável e outras pessoas reagiam a isso. Ele era muito sociável e conseguia iluminar uma sala cheia de pessoas. Ele havia provado que sabia brincar, rir e aprender.

Rick adorava estar com outras pessoas ao seu redor e sempre tinha um sorriso quando interagia com outras famílias no Children's Hospital Boston, durante a sessão de fisioterapia. Para nós, a terapia também era boa. Encontrávamos outros pais de crianças com deficiências, que tinham feito a mesma escolha de manter seus filhos em casa. Havia outras crianças no grupo com paralisia cerebral, mas suas lesões não eram tão graves quanto às de Rick. Alguns deles conseguiam falar, andar e usar os braços. A maioria que estava na cadeira de rodas conseguia controlá-las, diferente de Rick. Mesmo assim, comparávamos anotações e compartilhávamos ideias sobre como construir uma família que incluía uma criança deficiente. Tentávamos nos encontrar fora da terapia também, sempre que conseguíamos organizar um passeio divertido, íamos todos juntos. Judy e eu até nos esforçamos para começar uma associação de pais de crianças com paralisia cerebral em nossa cidade; assim, os pais da região com filhos portadores de paralisia cerebral poderiam se encontrar e conversar sobre como matricular nossos filhos no sistema público de ensino. Não havia ninguém nas imediações que tivesse o mesmo problema de Rick, mas havia pelo menos uma, a família Murphy, em Medfod, Massachusetts, há algumas cidades de distância. Reuníamos as famílias sempre que possível para que pudéssemos socializar, e íamos aos aniversários das outras crianças e coisas do tipo. Sabíamos que poderiam haver outros. Não queríamos que outros pais sentissem que estavam sozinhos.

Quando tinha apenas seis anos de idade, Rick era muito inteligente e aprendia de forma muito rápida, com uma incrível paciência. Ele superou as expectativas de todo mundo e se formou na escola infantil da igreja. Estávamos tão orgulhosos com suas realizações. Era um garotinho muito doce, apesar de fazer muitas travessuras com seus irmãos mais novos. Tinha um sorriso maroto e ria sempre que algum de nós fazia alguma coisa engraçada. Sabíamos que tinha um senso de humor afiado e se tornaria um brincalhão de marca maior. Rick estava sempre no meio de tudo, e era assim que ele gostava. Era socialmente ativo, graças às funções da igreja, aos jogos com os vizinhos e aos passeios em família.

Quando Rick estava na escola particular da igreja e depois sendo ensinado em casa por sua mãe, nós o levamos à unidade de treinamento da Associação de Paralisia Cerebral, em Lawrence, cerca de 15 quilômetros de distância. Lá, tivemos contato com uma terapeuta ocupacional que nos deu muito apoio, Fay Kimball, que passava muito tempo com Rick e pôde comprovar o que viu – que Rick era inteligente e muito capaz para entender e aprender. Fay foi muito importante para o progresso de Rick, sendo uma professora e terapeuta que deixou uma marca positiva. Sabemos que Rick também deixou uma impressão positiva para ela. (ela se lembrou da nossa família no momento em que uma oportunidade incrível apareceu).

Com o envolvimento dele em todas as atividades familiares e suas visitas regulares ao Children's Hospital Boston e à unidade de treinamento de paralisia cerebral para fazer a terapia, tanto Rick quanto o restante da família entendiam muito bem suas capacidades físicas, bem como suas limitações. Estávamos convivendo com a paralisia cerebral há seis anos, e ao mesmo tempo em que estávamos aprendendo cada vez mais sobre esse distúrbio, já éramos especialistas se comparássemos com o dia em que recebemos o diagnóstico de Rick pela primeira vez. Todos nós tínhamos percorrido um longo caminho. O próximo passo parecia óbvio. Sabíamos que nosso filho estava pronto para ir para a escola. Como a escola da igreja não oferecia continuidade aos estudos depois da educação infantil, Judy e eu resolvemos matricular Rick no segundo ano em North Reading.

O processo não era tão simples como ingenuamente havíamos suposto que seria, pois a direção da escola local recusou-se em permitir que Rick frequentasse as aulas com base no fato de que ele não sabia andar, falar ou alimentar-se sozinho. Tentamos argumentar com a direção. Rick ia bem na terapia, e os médicos e enfermeiras estavam espantados com o seu progresso. Nosso filho era inteligente e tinha motivação para a aprendizagem. Estava simplesmente preso a um corpo que não permitia que expressasse suas capacidades. A resistência do sistema de ensino público era ofensiva e irritante. Não queríamos que Rick fosse socialmente excluído por conta de sua deficiência, e com certeza queríamos que ele não fosse excluído do direito de ter também uma educação.

Recusamo-nos a perder essa batalha. Judy conseguiu uma audiência com o conselho escolar. Por causa do meu trabalho, não pude ir à audiência. Judy teve de ir sozinha e falar por nós dois. Aparentemente, a conversa foi bem tempestuosa e os ânimos se exaltaram – de ambos os lados. Judy me disse depois, que o momento mais frustrante foi quando sentiu que aquilo não estava levando a lugar algum. Não importava o que dissesse ou quais fossem as provas de que Rick tinha capacidade de aprender, os membros do conselho não a ouviam. Era uma questão de preocupação com a sua condição médica, ela disse a eles, e poderíamos contratar alguém que o acompanhasse na sala de aula e cuidasse de suas necessidades físicas. Enfatizou que ele sabia controlar a vontade de ir ao banheiro e que tinha tanto controle sobre seu corpo quanto qualquer criança da mesma idade. Tínhamos anotações médicas e permissão de seus principais profissionais de saúde. Estávamos dispostos a fazer quaisquer concessões para que nosso filho pudesse estudar – a chance de que pudesse receber uma educação era importante para nós – mas parecia que aqueles profissionais da educação já estavam de cabeça feita antes mesmo de Judy apresentar nosso caso. A resposta continuava sendo não.

O que os membros do conselho escolar viram foi uma criança gravemente deficiente, em uma cadeira de rodas, com dois pais que negavam totalmente sua falta de capacidade. Eles não conseguiam deixar de lado a aparência do nosso filho e o julgaram injustamente por causa disso. Apegaram-se rapidamente à falsa crença de que Rick era incapaz de se comunicar e, portanto, incapaz de entender qualquer coisa que fosse ensinada. Integrá-lo não faria bem a ele, foi o que nos disseram, e a situação só serviria de distração para as demais crianças. Não havia como mudar a decisão deles.

Quando cheguei em casa depois do trabalho, Judy ainda estava irritada com a audiência. Depois que se acalmou, decidimos que estávamos determinados a tirar o melhor proveito da situação e, de alguma forma, mudar as mentes dos membros do conselho.

Apesar da diretoria da escola não permitir que Rick frequentasse as aulas com as outras crianças, organizaram um programa de estudo domiciliar de quatro horas semanais. O único problema era que o programa não vinha com a professora. Judy cuidava sozinha dos três garotos e ainda dava tutoria para o único filho que estava em idade escolar. Já era bem difícil correr atrás de duas crianças pequenas, imagine dar atenção especial a uma criança com deficiência. Algumas vezes, quando cheguei em casa ela me dizia que não sabia se daria conta. Era simplesmente difícil demais. Ao mesmo tempo em que amava ser mãe, não estava em sua lista de tarefas ser, também, educadora em tempo integral. Ela sentia que conseguia grandes avanços de Rick, usando o que havia aprendido com os terapeutas sobre métodos de aprendizagem alternativos e interação física, mas não se sentia uma professora qualificada. Mas Judy persistia o tempo todo trabalhando no intuito de alcançar o objetivo na empreitada de matricular Rick no sistema de ensino. Lenta, mas regularmente, como o endosso de outros profissionais da saúde, começamos a convencer as pessoas, no sistema escolar, de que nosso filho era inteligente e capaz de aprender. Estávamos progredindo um pouco. Enquanto isso, temporariamente, Judy e eu matriculamos Rick em uma escola para crianças deficientes.

Naquela época, as escolas para crianças com condições semelhantes eram apenas instalações de enfermagem. As pessoas deixavam seus filhos durante o dia; e a escola se resumia a isso – uma creche para crianças deficientes. A escola de Rick era literalmente sediada em uma casa de repouso alugada pela Associação da Paralisia Cerebral. Era um prédio velho de tijolinhos em Lawrence, que abrigava qualquer tipo de criança. Duas das classes eram divididas em "níveis" com base na faixa etária – de quatro a oito anos e de nove anos em diante. O programa incluía terapia ocupacional, fisioterapia e fonoaudiologia. Judy não ficava na escola junto com Rick, cada sala tinha uma assistente para auxiliar o deficiente. As professoras desses programas tinham mais a função de babás.

Como a escola era para crianças com deficiências mentais e físicas, pode-se imaginar o tipo de educação que ele estava tendo. Não que aqueles programas não tivessem seus méritos ou que achássemos que Rick estava sendo negligenciado; simplesmente não era o que sabíamos que ele precisava – ou seja, era completamente o oposto daquilo. Era semelhante aos médicos terem decidido colocar óculos nele aos quatro anos. O cérebro de Rick, assim como a visão, estava bem. Colocá-lo em uma classe com crianças mentalmente deficientes impediria seu desenvolvimento. Rick realmente precisava do contato corpo a corpo para aprender, mas aquele ambiente não permitia isso. Havia uma sala grande com uma professora e pelo menos uma dúzia de crianças que precisavam de sua atenção. A professora fazia o melhor que podia, considerando-se a situação. Não era tão ruim quanto teria sido uma instituição, mas estávamos desapontados e frustrados que uma criança inteligente não estava tendo a chance de se sobressair.

Um ponto positivo da escola foi o contato com outras famílias com crianças deficientes. Isso nos possibilitou encontrar atividades extracurriculares disponíveis para crianças como Rick – incluindo esportes e acampamentos. Ficamos emocionados ao inscrevermos Rick em uma liga de hóquei de rua para deficientes. Praticar esportes deixava Rick tão feliz. Dava para ver pelo modo como ficava animado quando sabia que estava na hora do jogo e pelo mau humor quando o jogo acabava e era hora de voltar para casa. Rick tinha herdado a minha paixão pelos esportes. Interessava-se de forma especial por hóquei de todas as formas e era louco pelo Boston Bruins. Tinha acompanhado a carreira de vitórias (e derrotas) do time com minuciosa atenção.

Assim, Rick começou a praticar esportes e se sentir como uma criança comum. Era competitivo e adorava marcar pontos ou, melhor ainda, vencer. Ele ainda tem algumas cicatrizes de batalhas que o fazem lembrar-se daquela época. Uma vez, quando tinha cerca de dez anos, em um acampamento de futebol do Easter Seals, uma monitora acidentalmente o soltou e o deixou cair ao ficar muito animada com o gol que Rick havia feito. Ele caiu da cadeira e deu de cara com o chão duro, perdendo dois dentes da frente. Os dentes de prata que ficaram no lugar fizeram com que todos os chamassem de dentes brilhantes. Rick adorava a atenção e o motivo que havia causado aquilo. Os dentes provisórios não ficaram por muito tempo, pois ele tinha o mau hábito de ranger os dentes – assim, os dentes brilhantes só duraram um ano, mas ele os adorava. Ele diz que aquele machucado foi o melhor e o mais glorioso que teve, pois aconteceu quando estava praticando esportes.

Mesmo assim ainda mantínhamos a vontade de ver nosso filho estudando com as demais crianças. As crianças da mesma idade já iam para a escola, entrando no ônibus todos os dias com suas lancheiras. Tudo o que queríamos para Rick era a mesma coisa. Em vez disso, ano após ano – por cinco ou seis anos – Rick observava da sua cadeira de rodas os vizinhos e depois seus próprios irmãos entrarem no ônibus. Ele se sentia de fora. É claro que estava indo à escola para crianças deficientes meio período todos os dias, mas não era a mesma coisa que entrar no enorme ônibus amarelo com as outras crianças para ir à escola.

Durante um dos meus treinamentos para a escola militar, quando morávamos em El Paso, Texas, Rick frequentou uma turma especial para deficientes. Ele ia de táxi escolar público, que era o mais próximo de um ônibus escolar. Infelizmente, e sem o nosso conhecimento até a ocorrência de um incidente, o taxista bebia. Um dia, houve um pequeno acidente e Rick era o passageiro. Nosso filho tinha caído no chão do táxi e bateu um pouco o corpo. Quando o motorista finalmente trouxe Rick para casa, ficou se desculpando com Judy. Ficava dizendo "Ele está bem. Ele está bem. Ele só caiu no chão", mas isso rapidamente pôs fim àquele tipo de transporte. Dali em diante, nos arrumamos de outra forma. Percebemos que o simples fato de transportar Rick para a escola envolveria fardos. E, a nós, parecia que o destino final não valia tanta dor e sacrifício para chegar lá.

O tempo todo em que Rick frequentou escolas para crianças deficientes, pudemos perceber que não estava feliz com o programa. Ele sempre parecia triste. Mesmo quando criança, Rick sempre tinha um sorriso no rosto – era geralmente bem animado, mas não foi isso o que aconteceu durante o tempo em que frequentou as escolas para deficientes. Ele nem contava muito para a gente. Fazíamos perguntas que exigiam respostas do tipo "sim" ou "não" e ele respondia. Quando perguntávamos se ele estava feliz na escola, ele chacoalhava a cabeça dizendo não. Ao mesmo tempo em que os funcionários da escola não eram ruins para ele, sua mente não estava sendo estimulada. Era apenas mais uma criança em uma cadeira de rodas, uma criança que não conseguia andar nem falar e, portanto, só precisava ser empurrada para a próxima sala.

Atualmente, parece óbvio não fazer suposições sobre a capacidade mental de uma pessoa simplesmente porque ela não consegue ficar na posição ereta ou verbalizar o que está pensando. Nem a cadeira de rodas de Rick ou a sua incapacidade de falar nos incomodou ou fez parar. A cadeira de rodas havia se tornado uma extensão de Rick de uma forma que parecia fazer parte dele. Rick podia não ser capaz de verbalizar seus pensamentos, mas tínhamos aprendido a interpretar suas expressões faciais e reservado tempo para ensinar as habilidades linguísticas, da mesma forma que se ensina qualquer criança. Contudo, no final dos anos 1960 e início de 1970, atitudes públicas não estavam tão atualizadas em relação ao fato de que um número crescente da população era deficiente. Eles estavam escondidos. Rick, sem saber ou, talvez sem querer ser, foi um pioneiro em um território desconhecido. Como pais, sabíamos que ele merecia as oportunidades que lhe estavam sendo negadas. Apesar das nossas decepções, não desistimos. Sabíamos que tinha de haver uma solução, se ao menos pudéssemos provar que nosso filho era capaz de se comunicar. Aquele seria o ingresso para conseguir para ele a educação que tanto desejávamos que tivesse. Estávamos determinados a fazer acontecer de alguma forma. Estávamos naquela luta há muito tempo. Sabíamos que levaria vários anos – até Rick chegar aos 12 anos – para que uma equipe de engenheiros da Universidade de Tufts, um computador, uma legislação fossem capazes de ajudar nosso filho a finalmente ser admitido em uma escola pública.

[CAPÍTULO 6]

Universidade de Tufts

Aos oito anos, Rick ainda era incapaz de se comunicar verbalmente. Devido à forma como seus músculos retesavam-se constantemente, a escrita e a linguagem dos sinais não eram uma possibilidade. Há muito já tínhamos aprendido a interpretar os sorrisos e acenos de nosso filho, seus abanos de cabeça para "sim" e para "não", mas assim como qualquer pessoa da família que tentava adivinhar as necessidades de Rick, estávamos apenas dando palpites sobre a educação dele. Às vezes, estávamos errados ou levávamos um tempo tremendo, tropeçando em algo que estava certo. A inabilidade de comunicação de Rick o deixava fora da escola pública e, como temíamos, era responsável pelo seu estancamento.

Depois de muitos anos indagando se algum dia seríamos capazes de provar as habilidades mentais de Rick e encontrar uma maneira de fazer com que participasse de uma conversa, subitamente tivemos um motivo para ter esperança. Durante uma das sessões de terapia de Rick em Lawrence, fomos apresentados ao Dr. William Crochiere, que na época era diretor do departamento de engenharia da Universidade de Tufts, em Medford, Massachusetts, junto com um grupo de quatro ou cinco estudantes de engenharia do programa de engenharia da computação. Fay Kimball, uma das defensoras de Rick e terapeuta ocupacional, o tinha convidado para ver que tipos de necessidades a unidade de treinamento tinha. Ela tinha ouvido sobre o trabalho deles com outras pessoas deficientes e os tipos de inovações que haviam feito em comunicação avançada com a maioria dos adultos, e tinha esperanças de iniciar uma parceria com o programa deles. Também queria que eles nos conhecessem diante da remota possibilidade que teriam de ajudar Rick. Todavia, depois de enfrentarmos tanta rejeição, ficamos esperançosos, mas cautelosos.

Quando o médico e seus alunos viram Rick pela primeira vez, foram educados, porém céticos. Parecia que íamos receber a mesma resposta que um dia recebemos da comunidade médica – essa criança é uma causa perdida. Então, um dos alunos fez uma pergunta e pude perceber que todos queriam saber o mesmo: "como você sabe que seu filho é inteligente?". Desesperada para que eles não desistissem de nós, Judy disse a primeira coisa que veio a sua cabeça: "vá em frente e conte a ele uma piada". Jamais vou me esquecer do momento em que o Dr. Crochiere ajoelhou-se ao lado da cadeira de rodas de nosso filho e fez exatamente isso. Embora eu não consiga me lembrar da piada, o que quer que o médico tenha dito foi engraçado aos ouvidos de Rick. Quando o Dr. Crochiere contou o final da piada, Rick imediatamente jogou a cabeça para trás rindo, exatamente como sabíamos que ele faria.

Como uma criança não comunicativa e gravemente deficiente, o senso de humor de Rick sempre foi um salva-vidas em vários momentos de tensão. Houve várias vezes em que pensávamos que a situação era difícil demais e os desafios insuperáveis, então, um de nós fazia alguma coisa engraçada e Rick caía na gargalhada. Aquilo quebrava a tensão precisamente na hora que precisávamos e nos fazia perceber que as dificuldades que enfrentávamos não eram barreiras de estrada, mal eram lombadas para conter a velocidade nessa estrada que chamamos de vida. Rick ainda estava rindo quando Judy e eu olhamos ao redor da sala e percebemos que não éramos os únicos a rir. Os engenheiros sentaram-se, maravilhados. Depois daquilo, todos se uniram pela nossa causa. Estavam convencidos que se Rick tivesse as ferramentas adequadas, conseguiria se comunicar. Voltaram decididos aos seus laboratórios na universidade para começar a projetar um equipamento de comunicação computadorizado. Se tivesse sido tão fácil assim para matricular Rick na escola pública como foi para convencer um grupo de engenheiros a construir um computador. Estranhos, a maior parte dos jovens estudantes tinha concordado em usar seu valioso tempo e recursos para desenvolver um equipamento que tivesse o poder de mudar o futuro da minha família. Aquele foi um dos dias mais felizes que nossa família havia passado na unidade de treinamento de paralisia cerebral.

O equipamento, é claro, tinha de ser criado, e isso levou tempo. Na coordenação do projeto estava Rick Foulds, um aluno interessado, trabalhador, que mergulhou de cabeça no projeto. O trabalho que estava fazendo regularmente extrapolava o meu discernimento. Estava convencido de que conseguiria criar um dispositivo de comunicação que ajudaria não somente o meu filho, como outros que eram incapazes de verbalizar ou expressar seus pensamentos. Sua autoconfiança nos deixava seguros.

Depois de seis semanas, e centenas de horas rascunhando, pesquisando e construindo, Foulds e outros alunos – que, além de estarem trabalhando no projeto, estavam concluindo seus cursos e ensinando responsabilidade – apresentaram a primeira versão do comunicador. Lembre-se, estávamos em 1970, época em que poucas pessoas tinham computadores ou sabiam alguma coisa sobre eles. O que a equipe apresentou era uma máquina imensa, embora portátil, que consistia em um monitor que mostrava as fileiras com letras, números e símbolos. Em um processo que chamavam de mapeamento, a máquina trabalhava piscando as luzes em sequência pelo painel, fazendo uma breve pausa em cada letra, número ou símbolo. Simplesmente clicando um botão, qualquer um que operasse a máquina poderia selecionar a letra, o número ou o símbolo que desejava mostrar na tela. No caso de Rick, ele poderia ativar o botão e criar frases pressionando a cabeça contra uma barra de ferro presa ao lado da cadeira de rodas, conectada ao sistema computadorizado. Foulds e seus colegas chamaram o aparelho de Comunicador Interativo da Universidade de Tufts (TIC, resumindo). Entre a nossa parafernália doméstica, nós imediatamente decidimos chamá-lo de Máquina da Esperança, pois era isso o que trazia: esperança.

Nos primeiros testes, não vimos muito sucesso. Contudo, por causa da natureza da máquina e da forma como operava, a maneira como poderíamos usá-la nos limitava. Rick aprendeu como usar o botão com a cabeça para localizar as letras, mas o equipamento era incômodo demais e muito lento para que se comunicasse conosco com frases completas. Apesar dos obstáculos iniciais, estávamos radiantes diante das possibilidades. A equipe, certa de que estava no caminho para criar algo melhor, decidiu voltar à mesa de trabalho para reprojetar a máquina, criando uma versão menor, que fosse mais confiável e com um botão de ativação melhorado. O único empecilho era que a nova versão custava muito mais, 5 mil dólares se quiséssemos que ficasse perfeita. No início dos anos 1970, esse valor era muito dinheiro, e nós já estávamos com o orçamento bem apertado. Tivemos sorte que a primeira versão do comunicador tinha sido de graça, pois os alunos dedicados e criativos tinham usado materiais excedentes e não haviam cobrado pelo trabalho. Por mais apreço que tivéssemos pelo que tinham feito à nossa família, não nos desviaríamos de nosso objetivo em razão da falta do dinheiro para pagar por um modelo melhor.

A notícia sobre o que estávamos fazendo para melhorar a qualidade de vida de Rick espalhou-se rapidamente. Todos estavam animados com a possibilidade de nosso filho poder um dia conseguir se comunicar. Como as pessoas mostraram-se interessadas, quisemos mostrar a máquina e o que significaria para nós conseguir angariar fundos para desenvolver uma versão aprimorada. Com a ajuda de alguns universitários, fizemos algumas demonstrações do TIC em igrejas e outros grupos locais, que nos ajudaram com algumas doações individuais. As crianças da vizinhança organizaram um bazar e arrecadaram 40 ou 50 dólares. Amigos e vizinhos nos ajudaram, e as mães reuniam-se nos finais de semana para promover a venda de quitutes, que ficaram tão famosos que chegavam a arrecadar 300 a 400 dólares só com bolos e *brownies*. Então, houve o grande jantar dançante que a nossa família organizou, onde arrecadamos a maior parte do dinheiro. Finalmente, depois de vários meses de arrecadação, e o imenso apoio da comunidade, tínhamos 5 mil dólares – exatamente a quantia que os engenheiros precisavam para retomar o trabalho.

Logo depois, uma segunda versão do comunicador ficou pronta. Era bem mais leve do que a versão anterior e o botão era ativado pelo joelho em vez da cabeça. Rick usou aquele computador por mais de um ano, e parecia adaptar-se bem escolhendo as letras e controlando o botão de comando. Mas, no final, acabou não funcionando, pois o botão do joelho não era muito eficaz para ele. Não era exatamente o que os engenheiros haviam vislumbrado como versão final. Mas, estavam determinados a continuar tentando até fazer com que funcionasse de forma perfeita.

No final do inverno de 1974, Foulds telefonou para dizer que a equipe de Tufts tinha terminado seu trabalho com o TIC. Nossa Máquina da Esperança estava concluída e pronta para o primeiro teste. A terceira versão do TIC era muito melhor que as anteriores e até imprimia o que Rick digitava. Também era ativada pela cabeça em vez do joelho, já que Rick controlava melhor os movimentos da cabeça do que os do joelho. Rick tinha acabado de completar 12 anos quando Foulds e os outros alunos trouxeram o TIC para ser estreado em nossa casa.

Tínhamos convidado os terapeutas de Rick, nossos amigos, vizinhos e todas as pessoas que nos deram apoio para a construção da terceira versão. Foulds ligou o TIC e as fileiras de letras iluminaram-se. A sala ficou em silêncio e o único som que ouvíamos era o zunido do computador. Foulds encorajou nosso filho a ir em frente e tentar falar conosco. Com Rick posicionado e todos ao redor dele, olhamos para frente, tentando adivinhar quais seriam suas primeiras palavras. Eu tinha certeza que ele ia dizer "Oi, papai". Judy estava convencida que ele ia digitar "Oi, mamãe". Seus irmãos achavam que eles fossem o primeiro tema da conversa de Rick. Talvez ele fosse dizer que nos amava, ou talvez fosse um simples "Obrigado".

Rick começou a digitar, batendo com o canto da cabeça. Uma letra "V", depois "A" e "I" apareceram na tela. Que diabos é isso, pensei? Por um segundo, fiquei preocupado que nossos esforços tivessem sido em vão. Apesar de saber que Rick nos entendia, talvez ele não soubesse como traduzir o que havia aprendido em palavras e frases. Uma letra "B", um "R" e depois um "U" vieram em seguida. A luz do monitor iluminando as letras escolhidas. Rick se concentrou e continuou batendo no botão e terminou com as letras "I-N-S". "Vai, Bruins!" eu gritei, praticamente pulando para todos os lados. Rick concordou e sorriu satisfeito consigo mesmo. Eu não conseguia parar de rir e sacudir a cabeça. Não houve uma pessoa que não tenha chorado naquela casa. Meu coração inflou. Fiquei tão orgulhoso do meu filho naquele momento. Não só tínhamos provado que Rick era capaz de se comunicar, como também amava esportes. Naquela temporada, o Boston Bruins estava na etapa final da Copa Stanley[2]. É claro que todos vinham acompanhando pela televisão. Rick também ficou torcendo o tempo todo silenciosamente. É óbvio que ele era o filho do pai dele.

Com aquelas duas palavrinhas, "Vai Bruins", todos fomos vencedores. Rick ganhou independência e provou ter tanto inteligência quanto senso de humor. Mais tarde, me disse que poderia viver sem andar ou usar os braços, mas a incapacidade de se comunicar era o que mais o incomodava. Judy e eu nos sentimos vingados de uma perseguição que durava mais de uma década. Sabíamos que tínhamos como mostrar agora, que a prova decisiva estava em nossas mãos, e isso faria com que Rick fosse admitido nas escolas e nos programas cuja participação sempre lhe foi negada.

As mudanças que aconteceram em nossa família e em nossa comunidade foram incríveis, tudo por causa de um computador. Os garotos finalmente conseguiram conversar, e como toda criança, às vezes, brigavam uns com os outros. Rob e Russ perceberam rapidamente como seu irmão era perspicaz e tinham conversas bem divertidas. Agora tinham um irmão mais velho que, logo veriam, faria realmente o papel do irmão mais velho dizendo a eles o que fazer.

E aquilo foi uma vitória da equipe de engenheiros da Universidade de Tufts que trabalhou arduamente. Eles criaram uma máquina única que devolveu a vida a um garoto que um dia foi rotulado de vegetal. O sucesso que tiveram com o TIC de Rick impressionou as comunidades médicas, acadêmicas e de pesquisa de tal forma que levou à criação de um centro de engenharia biomédica no Centro Médico de Tufts, em Boston. Foulds recebeu seu título de PhD pela

---

2 A Copa Stanley (*Stanley Cup*, no original em inglês) é o troféu dado à equipe vencedora da NHL, principal liga de hóquei no gelo do mundo. É disputada desde 1893. (N. da T.)

Universidade de Tufts e foi nomeado diretor do centro. O computador de Rick foi o primeiro de muitos projetos similares patrocinados para ajudar pessoas deficientes.

As versões de teste do TIC eram lentas e permitiam apenas algumas palavras por minuto. Para chegar ao produto final eram necessárias horas de prática. Como Rick ainda estava superando as defasagens em ortografia e gramática, Russ achou que não haveria problema em ensinar ao Rick o que estava aprendendo na escola. Então Russ arrumou uma forma de entender o que Rick estava pensando sem precisar usar o computador. Ele criou o que viemos a chamar depois de Método Russell. Usando o mesmo conceito de TIC, ele dividiu o alfabeto em cinco blocos, cada um começando por uma vogal. Era bem parecido com o jogo "Vinte Perguntas". A pessoa que estivesse fazendo as perguntas a Rick teria de adivinhar com qual bloco de letras do alfabeto a palavra para qual Rick estava olhando começava e depois continuaria com o resto das letras da palavra rapidamente até Rick confirmar a palavra certa acenando com a cabeça. Dessa forma, os garotos conseguiram ultrapassar as habilidades do computador e adivinhar frases completas em um espaço de tempo muito menor e, com frequência, até mesmo antes de Rick ter soletrado palavras inteiras. Era tão eficaz e eficiente que mais tarde, inclusive os cuidadores pessoais de Rick usavam o método. Apesar dos avanços tecnológicos na vida de Rick com o sistema computadorizado desde então, ainda usamos o Método Russell se necessário. Funciona muito bem quando Rick está sem o computador por perto.

Mas foi a Máquina da Esperança que realmente trouxe esperança para o futuro de nosso filho. Pela primeira vez, começamos a imaginar uma vida plena para Rick, uma que garantisse a ele oportunidades jamais imaginadas, incluindo a chance de frequentar uma escola. Sabíamos que o computador de Rick servia para provar nosso argumento de que nosso filho era capaz de aprender e se comunicar. Conforme a tecnologia e as versões do TIC foram se aperfeiçoando com o passar dos anos, a nossa atitude também foi – e nossa disposição para sermos bem-sucedidos em nossos objetivos. Estávamos cada vez mais determinados a matricular Rick em uma escola pública.

[CAPÍTULO 7]

Capítulo 766

Com Rick falando mais que a boca com o seu TIC, ou Máquina da Esperança, e nossa família se adaptando à vida agitada de se ter três crianças ativas e falantes em casa, você poderia pensar que não teríamos tempo para causas e ocupações políticas. Entretanto, com as mudanças que a Máquina da Esperança tinha trazido à nossa casa, Judy estava mais decidida do que nunca a matricular Rick na escola pública. Ela não jogaria a toalha e deixar que qualquer chance de melhorar o futuro de nosso filho escapasse de suas mãos. Ela não somente deu início a uma campanha nas escolas locais, como também a expandiu para nível estadual e começou a frequentar as sessões da assembleia legislativa e a ter discussões calorosas com os políticos de Massachusetts sobre a injustiça que as crianças deficientes eram forçadas a enfrentar. Ela se uniu a grupos de defensores e começou a frequentar reuniões políticas. Estava bem no meio da agitação, mas valeu a pena. Por causa dos esforços de Judy, assim como o trabalho das famílias com as crianças deficientes por todo o Estado de Massachusetts, o governador Francis Sargent assinou a lei Bartley-Daly, mais conhecida como Capítulo 766, alguns anos antes, em 12 de julho de 1972. Era a primeira reforma que abrangia a educação especial no país.

O Capítulo 766 foi elaborado com a intenção de garantir a toda criança com idade entre três e 21 anos, com necessidades especiais, o direito a receber a educação em escola pública – sem medo de ser isolada do restante da população escolar. Para identificar quaisquer preocupações ou dificuldades de aprendizagem, a lei exigia que as escolas locais fizessem uma triagem com as crianças (começando aos três anos) para identificar deficiências. A expectativa era que tanto os pais quanto as escolas fossem informados sobre quaisquer atrasos no desenvolvimento e sobre a melhor maneira de lidar com eles. Os pais poderiam até receber o que chamavam de Plano de Educação Individualizada para o seu filho, e a educação da criança poderia progredir a partir dali. Judy e eu estávamos tão animados com a ideia de ver a lei aprovada, mas sabíamos que mudanças não iriam acontecer em curto prazo. Uma coisa que entendo sobre política, é que aprovar uma lei não significa necessariamente traduzi-la em obediência imediata. Essas coisas levam tempo, não importa o quanto você esteja ansioso para que aconteçam. Não era porque a lei tinha sido aprovada em 1972 que tornaria automática a presença de crianças deficientes nas salas de aula de Massachusetts. Os pais ainda tinham de apelar para as respectivas delegacias de ensino para que cada criança fosse aceita em uma escola de forma individual. Então, mesmo embora Rick estivesse fazendo excelente uso do TIC e mostrando a todos exatamente do que era capaz de fazer, em 1974 Judy ainda estava brigando para colocá-lo na escola.

Apesar do nervosismo, esperar pelo que viria em seguida parecia ser um progresso em câmera lenta. Nossas vidas agitadas estavam cheias de promessas. Meu trabalho parecia estar indo bem, Rick estava ótimo, e os meninos cresciam como sementes de trepadeira. Então os militares resolveram se intrometer. Tinha acabado meu treinamento, em El Paso, e estava no processo de transferência da Guarda Nacional para a Força Aérea Nacional quando fui designado para a Base Aérea de Otis, em Cape Cod. Naquela época, havia armas nucleares chegando a Otis, e a Força Aérea estava aumentando a segurança. Como tinha experiência com armas nucleares, acho que servi como o candidato ideal. Eles precisavam de muita força policial, e fui nomeado chefe da força policial. O novo emprego acarretava em mais uma mudança, dessa vez para Falmouth. Eu adorava a região de Cape Cod e sempre quis morar lá, então estava bem animado com a mudança. Era exatamente onde queria estar naquele momento da minha vida. Com a garantia de que o emprego duraria dez anos, peguei nossas economias e comprei uma casa – uma casa grande, bonita, de cinco quartos, três banheiros, bem perto do lago – e nos preparamos para um longo futuro em Falmouth.

Uma casa nova significava uma nova escola para Rick – sempre uma luta. Enquanto estava ocupado trabalhando, Judy tinha de cuidar de todas as questões ligadas à escola. Mais uma vez Rick foi jogado em uma classe com vários tipos diferentes de deficiências. Apesar da nova legislação, parecia que nada tinha mudado na escola do bairro. Felizmente, a professora de Rick, a senhorita Laurel Brown, imediatamente percebeu a inteligência de Rick e conversou com uma professora de matemática do quinto ano e uma de ciências do sexto ano sobre permitir que ele frequentasse suas aulas. Elas concordaram. Era um começo, pelo menos. Judy e a senhorita Brown também travaram uma luta com a terapeuta da escola. As duas não cansavam de dizer que acreditavam que Rick conseguiria estudar em uma sala de aula regular. Judy pontuou uma recente mudança na lei que havia ajudado a elaborar. Ela e Rick demonstraram como ele conseguia usar o TIC.

Finalmente, eles se comprometeram e incluíram Rick no Programa de Educação Individualizada.

Conforme fomos nos estabelecendo em Falmouth e entrando em nossas rotinas, Judy começou a pensar que um diploma em educação fosse ajudá-la em sua luta para melhorar a situação das crianças deficientes no sistema escolar. Antes que pudesse fazer alguma coisa, nossos planos de viver por muito tempo em Falmouth foram interrompidos.

Em 1975, menos de um ano depois de termos nos estabelecido em Falmouth, os militares perceberam que não precisavam mais armazenar armas nucleares. Então o meu cargo na Base Área de Otis foi extinto. Ofereceram-me duas opções – um emprego em Boston e um a oeste de Massachusetts. Escolhi o emprego em Westifield, a uma distância de duas horas e meia de onde estávamos. Odiamos ter de mudar porque adorávamos o lugar em que estávamos, bem de frente para o lago de Martha's Vineyard (vinhedos) e nossa bela casa que tínhamos comprado com tanto esforço. Judy sentia que estava progredindo com as escolas públicas de lá. Mas a Guarda Nacional não me deu opções. Se eu quisesse manter meu emprego, tínhamos de vender a nossa casa e nos mudar para Westfield.

A mudança acabou sendo uma verdadeira benção – um novo começo em uma nova cidade. Assim que nos acomodamos, Judy se matriculou na Universidade de Massachusetts, em Amherst, para se formar em educação. Ela fazia quantas aulas sua agenda ativa com os meninos permitia. Eram quase 50 quilômetros de Westfield até Amherst.

Naquele verão, estudamos as opções de escolas públicas, marcamos horários com médicos, políticos e advogados. Contamos nossa história e nossos planos para o futuro para qualquer um que quisesse ouvir. Continuei trabalhando em todos os empregos que conseguia, tentando prover a família enquanto, ao mesmo tempo, equilibrava o trabalho e os momentos em casa com eles. Foi um período bem agitado de nossas vidas, mas estávamos felizes. Tínhamos percorrido uma longa estrada até ali e só tínhamos mais um passo a dar para chegarmos à etapa final. Massachusetts começou a implantar o Capítulo 766 no ano letivo de 1974-1975, então sabíamos que as chances de Rick finalmente conseguir entrar em uma escola pública eram boas. Mantivemos nossas esperanças.

Antes do início do ano letivo de 1975-1976, Judy e eu arrumamos Rick e seu TIC e fomos para a Escola de Ensino Fundamental de Westfield, onde Rob e Russ já estavam matriculados (àquela altura, o nome da família Hoyt já tinha ganho notoriedade por todo o Estado de Massachusetts, Judy já tinha falado com tantos educadores e legisladores que era difícil lembrar-se de todos eles).

Quando chegamos à escola, o diretor e vários professores nos levaram para uma reunião. Depois de conversarmos um pouco, o corpo docente levou Rick para uma sala de aula e deixou Judy e eu esperando do lado de fora. Lá dentro, era possível ouvi-los fazendo perguntas ao nosso filho e ouvi-lo responder com seu computador. Não demorou muito, certamente não o tempo que eu estava esperando que fosse demorar, para que decidissem que Rick estava pronto para a escola pública. Ele tinha respondido todas as perguntas corretamente, então não tiveram escolha a não ser admitir que Rick fosse capaz de aprender e se comunicar, e que tinha direito de estar em uma sala de aula com outras crianças mental e fisicamente ativas.

Poucos dias antes das aulas começarem, Judy levou Rick e seus irmãos ao escritório do superintendente da escola. Ela tinha o programa de educação individualizada de Rick, que dizia que ele deveria integrar-se inteiramente em classes regulares, e o sinal verde da diretoria da escola de ensino fundamental de Westfield. Ela também tinha a lei ao seu lado. O Capítulo 766 claramente não dava somente permissão para Rick, mas para incontáveis outras crianças nas mesmas condições, que também tinham o direito à educação pública. Judy exigiu que nosso filho mais velho fosse aceito. Tudo o que o superintendente precisava era de alguns dias para lidar com a burocracia. E, logo em seguida, Rick pôde ser matriculado no sexto ano.

Finalmente, em 1975, nosso filho deficiente, cujos médicos haviam nos dito que jamais passaria de um vegetal, tinha sido aceito em uma escola pública. Nossa longa luta para integrar Rick no sistema público de educação tinha finalmente acabado. A Máquina de Esperança tinha operado um milagre ao provar sua inteligência. A diretoria da escola de Westfield foi forçada a permitir que ele entrasse em seus corredores como qualquer outra criança.

Tínhamos alcançado nosso objetivo, mas Judy ainda não estava satisfeita. Ela tinha um gosto pela política e tinha visto o quanto a persistência e a determinação podiam realmente valer a pena. Primeiro, ela recrutou outros pais e voluntários para ajudar outras crianças deficientes que, como Rick, agora também poderiam frequentar a escola. Tudo isso tirou um grande fardo das costas dos pais com relação à escola, saber que as crianças deficientes podiam não apenas aprender como fazê-lo dentro de um ambiente seguro e confortável.

No ano seguinte, Judy tornou-se voluntária ativa na Associação dos Direitos Humanos de Westifield, uma organização que, na verdade, ela tinha iniciado e organizado (apesar de não existir mais). Lá, ela era responsável por programas recreacionais para deficientes. Ela organizou o Acampamento para Crianças, um programa de verão que integrava crianças saudáveis e deficientes de até 21 anos. Tinha todo tipo de atividades – de acampamento e pesca a natação e outros esportes – todos baseados na ideia de Judy de que os deficientes e os fisicamente ativos deviam conviver em vez de serem segregados. Ela queria que fosse um lugar em que as famílias se divertissem, onde ninguém se sentisse excluído em razão de sua deficiência. Nossos três filhos adoravam participar do programa todo verão e fizeram algumas amizades duradouras com outras crianças que também frequentavam.

Enquanto isso, Judy envolveu-se com a organização Easter Seals, e fez com que a Escola de Ensino Médio de Westifield abrisse sua piscina para deficientes. Sabíamos como a natação tinha sido maravilhosa para Rick, então seria ótimo que a escola pudesse oferecer aquele tipo de terapia para outros alunos com deficiências. Com nossos filhos tendo sucesso tanto na escola quanto nas atividades extracurriculares e os programas desenvolvidos por Judy indo de vento em popa, ela rapidamente concluiu sua graduação e decidiu continuar estudando na Universidade de Massachusetts, especializando-se em educação especial.

Em poucos anos, mudanças surpreendentes ocorreram em nossas vidas. Eu me sentia tão feliz de ver nossos três filhos na escola pública, aproveitando as vantagens do estudo. Sabia o quanto Judy tinha lutado para conseguir aquele feito. Aquela foi a sua paixão e eu estava feliz por ela ter conseguido uma forma de se conectar com Rick. De certa forma, desejava ter aquele tipo de conexão com meu filho. O tempo que passava com Rick – assim como com todos os meus filhos – era o que o meu trabalho me permitia. Às vezes, o trabalho oferece oportunidades que nos ajudam de forma inesperada. Com o Acampamento para Crianças, por exemplo, pude fazer equipamentos de acampamento e cabanas, graças ao suprimento disponível na Guarda Nacional. Treinei os garotos na Liga Infantil de Beisebol durante o verão. Mas não conseguia estar presente em todos os momentos. Apesar de nossas lutas terem ficado mais serenas com o tempo, não gastamos todas as nossas economias. Era o meu trabalho que garantia a comodidade de nossa família. Com frequência, isso significava que meu tempo individual com eles, especialmente com Rick, era limitado.

Não parava de pensar que deveria haver uma maneira melhor, alguma atividade que pudéssemos realizar juntos, pai e filho, que fizesse com que Rick percebesse o quanto eu gostava dele e como estava orgulhoso por tudo o que tinha conquistado. Naquele momento, entretanto, a realização era a escola, o que já era algo bem especial.

[CAPÍTULO 8]

A Corrida Beneficente em Prol de Jimmy Banacos

Ninguém em nossa família se surpreendeu por Rick se sobressair na escola pública. Tínhamos lutado tanto para conseguir matriculá-lo que sabíamos que se ele tivesse a chance de conviver com outras crianças física e mentalmente ativas, se tornaria uma criança totalmente diferente, sentindo-se incluído e imaginando um futuro possível.

Rick amava a escola. Para ele era mamão com açúcar. Sabíamos que não teria problemas acadêmicos. É claro que tinha seus momentos difíceis, assim como seus irmãos ou outra criança qualquer, como quando não queria fazer lição de casa ou queria ficar em casa brincando, em vez de se concentrar nos estudos. Estudar era uma dificuldade para

Rick, pois levava mais tempo para fazer qualquer tarefa escrita ou formular respostas do que qualquer criança que pudesse usar os braços ou falar. Ele tinha de ter tutores e escribas e raramente fazia qualquer atividade relacionada à escola sem a ajuda de alguém. Mas, sempre dirá que o esforço extra valeu a pena. Rick quase nunca reclamava, pois os pontos positivos de estar matriculado em uma escola pública eram muito maiores que os negativos. Era popular, e todas as crianças pareciam aceitá-lo. Sei que isso fazia com que ele se sentisse bem. Rick conseguia ter uma vida normal como qualquer criança. Para nós, aquilo significava o mundo.

Quando Rick foi para o oitavo ano do ensino fundamental em Westifield, ele estava no mesmo nível que seus colegas de classe em todos os aspectos – exceto, reconhecidamente, no aspecto físico. Adorava jogar nos times de jovens deficientes e nadava com seus amigos da turma da paralisia cerebral. Era louco por esportes da mesma forma que seu pai e raramente perdia um jogo de seus irmãos. Na escola, entretanto, a educação física era um problema. Quando os outros alunos iam para o ginásio saltar aros, correr ou jogar queimada, o ajudante de Rick o levava até a biblioteca. Ele usava esse tempo para estudar, colocar a lição de casa em dia, ou simplesmente esperar até que chegasse a hora de retornar para a classe. Mas essa exclusão não durou muito tempo.

O professor de ginástica, Steve Sartori, viu que havia um aluno em sua lista que não estava comparecendo às aulas de educação física e foi investigar. Ele não fazia ideia que Rick era deficiente; só sabia que alguém não estava indo às aulas. Ele nos telefonou para que soubéssemos que nosso filho estava cabulando aula. Judy tentou segurar o riso quando o professor de ginástica começou a dar um sermão sobre vadiagem. Ela rapidamente explicou a situação e contou ao treinador Sartori que, dadas as condições físicas de Rick, não víamos como ele poderia se envolver com as aulas de educação física juntamente com os outros alunos. Já nos considerávamos pessoas de sorte por ele ter sido admitido na escola. Sartori não diminuiu o tom quando disse a

Judy que deficiência não era motivo para cabular aula. Ele deu duas opções a ela: ou Rick tinha de aparecer para a aula ou ela iria no lugar dele. Judy não era de recusar uma oferta que enquadrasse Rick dentro da normalidade – e ela não iria mesmo participar da aula. Então, no dia seguinte, o ajudante de Rick o levou ao ginásio em vez da biblioteca. O resto, como dizem, é história.

Sartori gostou de Rick imediatamente e foi muito bom para ele. Ele posicionava Rick bem no meio das atividades da aula, juntamente com os outros alunos. Ele até elaborou novas atividades especialmente projetadas para envolver nosso filho, coisas que ele poderia fazer para participar e as outras crianças iriam curtir do mesmo jeito. Rick adorava. Ele respeitava de verdade seu treinador e eles desenvolveram uma ligação especial. Sartori era um mentor e um amigo. Rick chegava em casa após a aula e tudo o que queria era ir para o TIC para contar o que tinha feito na aula de educação física. Estávamos muito felizes por Rick ter sido aceito e incluso no grupo. Vê-lo feliz fazia todos os novos esforços para colocá-lo na escola valerem a pena.

Uma noite, Sartori, que também era técnico do time de basquete da Faculdade Estadual de Westfield, perguntou se poderia levar Rick a um dos jogos. Ele iria como convidado especial do técnico, com alguns de seus colegas de classe. Eles iam até conhecer as líderes de torcida, um bônus que o técnico, Judy e eu sabíamos que ia deixar Rick feliz, pois, com 15 anos, ele já estava totalmente interessado nas meninas. Ficamos felizes em deixá-lo ir ao jogo. Àquela altura, Sartori já era mais um membro da família. Rick mal podia controlar a excitação quando dissemos que ele podia ir. Como se ele fosse aceitar um não como resposta. Depois, alegou que teria rastejado até lá se fosse preciso. Ele ia ao jogo, sim.

Sempre me perguntei o que teria acontecido se, por alguma razão, Rick não tivesse ido ao jogo de basquete da faculdade com Sartori naquela noite. Aquele jogo mudou nossas vidas e elevou meu relacionamento com Rick a outro nível. Até aquele dia, nunca tinha visto

Rick tão animado para ir a algum lugar. Nós o colocamos no carro do treinador e eles foram para a Faculdade Estadual de Westfield. Queriam chegar ao jogo uma hora antes para que Rick visitasse os jogadores no vestiário e assistisse ao treino.

Judy e eu procuramos nos manter ocupados naquela noite. Sabíamos que Rick estava se divertindo, mas estávamos um pouco nervosos por ser a primeira vez que ele saía de casa sem alguém da família. Aquele dia foi especial de muitas formas. Sentimos que nosso garoto estava se transformando em um rapaz, algo ainda mais evidente pelo fato de ouvirmos há tanto tempo as pessoas falarem que Rick jamais cresceria. Meu único arrependimento ao ver Rick amadurecendo tão rapidamente – diante de nossos olhos – era nunca ter passado com ele o tempo que gostaria de ter passado, fazendo coisas que fiz com seus irmãos mais novos. Creio que ele entendia que tínhamos de fazer algumas concessões por causa de sua deficiência e que nossas atividades de pai e filho, às vezes, seriam diferentes das que faria com seus irmãos. Mas sempre senti muito pelo fato de Rick e eu termos levado tanto tempo para descobrir uma atividade especial que pudéssemos compartilhar. Felizmente para nós, o jogo de basquete chamou a atenção para a atividade perfeita.

Quando Sartori estacionou na garagem naquela noite, depois do jogo, Rick estava sentado no banco de trás, sorrindo de orelha a orelha. Quando entramos em casa, ele queria ir direto para o computador. Começou a digitar enquanto o treinador nos colocava a par do jogo. Eles tinham se divertido muito, nos disse o treinador, e conheceram os jogadores e as líderes de torcida. Rick pegou alguns autógrafos para celebrar o evento. O passeio foi um sucesso tão grande que Sartori pensou em torná-lo rotineiro. O tempo todo em que o técnico ficou descrevendo os eventos da noite, Rick ficou batendo a cabeça em sua barra de metal, inserindo seus pensamentos na tela. Quando terminou, fui olhar para ver sobre o que ele estava tão animado. Ele tinha escrito algo sobre uma corrida beneficente para alguém chamado Doogie.

Enquanto meu filho continuava digitando, perguntei a Sartori do que ele estava falando.

Jimmy Banacos, ou "Doogie", como seus amigos o chamavam, tinha sido um atleta a vida toda no Estado de Westfield. O universitário de 19 anos era muito ativo, uma estrela dentro da faculdade de Westfield, e um membro importante das equipes de trilha e lacrosse. Tudo mudou em um dia de primavera em 1977, quando, durante um jogo de lacrosse, ele bateu em outro jogador. Jimmy quebrou o pescoço, ficando paralítico do pescoço para baixo. O antes atleta era agora tetraplégico. Rick sabia de Jimmy porque, quando Sartori o levou ao jogo de basquete, havia cartazes anunciando o evento beneficente em prol de Jimmy. "Corra por Doogie", diziam os cartazes. Sartori conhecia Jimmy e disse que era uma pena ver um talento daquele desperdiçado. Obviamente, tinha sido um golpe enorme para a comunidade acadêmica.

Mais tarde, durante o intervalo, uma das líderes de torcida anunciou, nos alto-falantes, o evento. No sábado seguinte, a faculdade patrocinaria uma corrida de oito quilômetros para angariar fundos para pagar pelas despesas médicas de Jimmy. Conhecendo meu filho como conhecia, somei dois mais dois. Assim que comecei a perceber que ele, de alguma forma, queria ajudar no evento, Rick terminou de digitar o que queria. Ele tinha escrito que queria participar da corrida. Disse que não tinha problema, desde que Sartori estivesse disposto a participar com ele. Rick começou a digitar furiosamente novamente. Quando eu li o que ele havia escrito, senti meu coração apertar um pouco, ao mesmo tempo em que inflava de orgulho. Meu filho não queria participar da corrida com seu treinador. Ele queria correr comigo.

Imediatamente prometi a Rick que iríamos. Participaríamos da corrida para ajudar o garoto com quem Rick tinha se identificado. Estava tão orgulhoso por ele querer ajudar alguém em uma situação similar, alguém encapsulado a um corpo que não funcionava direito e, sem dúvida, alguém com uma família como a nossa, enfrentando despesas médicas enormes. Fiquei tão orgulhoso por ver Rick solidarizando-se.

Apesar de ter concordado em correr imediatamente, mais tarde naquela noite, fiquei acordado um bom tempo, preocupado em como nós dois conseguiríamos terminar aquela corrida. Lembre-se que, além de Rick estar em uma cadeira de rodas, ser tetraplégico espasmódico, eu tinha 37 anos. O único exercício que fazia era uma caminhada ocasional pelo bairro ou um jogo de hóquei quando sobrava um tempo. Correr era algo que nunca fazia.

Nos dias que antecederam a corrida, tive de comprar tênis de corrida porque não tinha nenhum. Não sabia ao certo como agir com a cadeira de rodas de Rick. Acho que pensei que daríamos algum jeito. Naquela época, em 1977, a cadeira de rodas de Rick parecia mais um misto de carrinho de supermercado e cadeirão. Era projetada de forma precisa para acomodar o corpo de Rick, mas muito pesada. Com certeza, não era adequada para corridas ou para ser empurrada por um corredor. Entretanto, no final, acabei deixando todos os obstáculos para lá e fazer aquilo por meu filho. Eu estava fora de forma e bem distante dos meus dias de esportista, mas Rick tinha nascido com coração de atleta. Ele queria fazer a diferença, e eu não poderia negar aquela chance a ele. Não soube disso até o final daquela primeira corrida, mas finalmente havíamos descoberto uma atividade especial que podíamos fazer juntos. Ela fortaleceria nossa relação de uma forma que nada mais seria tão importante desde então.

[CAPITULO 9]

O Dia da Primeira Corrida

O Dia de Jimmy Banacos, 22 de outubro de 1977, foi um belo dia de outono em Massachusetts. A corrida de rua beneficente estava pronta para começar naquela manhã. Naquele sábado, a família toda acordou cedo e animada para começar o dia e participar das festividades. Começamos o dia como de costume, mas, de alguma forma, tudo parecia diferente, como se sentíssemos que aquela corrida beneficente fosse o começo de algo especial para a família, o primeiro dia do resto de nossas vidas. Mal sabíamos como aquele sentimento ia provar-se verdadeiro.

Tomamos café da manhã – comi pouco, pois não sabia como meu estômago reagiria com as pisadas firmes durante oito quilômetros. Rick alimentou-se normalmente, sabendo que precisaria de toda a energia, provavelmente até mais do que eu. Eu estava reconhecidamente nervoso sobre como lidar com o fato de empurrar a cadeira de rodas por tanto tempo, comigo correndo atrás dele, sobre aquela que não deveria ser a mais suave das superfícies. Será que teríamos de parar? Será que ele aguentaria a corrida toda sem se cansar? Deixando aqueles pensamentos de lado, concentrei-me em me vestir e me aprontar para o grande dia. Amarrei o cadarço do meu novo tênis. Naquela época, não sabia a diferença entre ter tênis comuns e tênis de corrida e tinha comprado um par que estava em promoção sem me preocupar com adequação ou estilo. Vesti shorts e camiseta sem manga. O sol já estava iluminando a folhagem de outono e a previsão do tempo era de uma temperatura de mais de 20 °C. Sabia que sentiria calor ao correr, mas ainda estava frio àquela hora da manhã, então coloquei um agasalho de zíper em Rick e peguei um cobertor para pôr sobre o seu colo. Enchemos garrafas com água. Os meninos mais jovens pegaram a bola de futebol para jogar caso ficassem entediados. Então, entramos todos no carro e fomos para a corrida.

O estacionamento do ginásio da Faculdade Estadual de Westfield estava cheio de gente. Os corredores estavam prendendo os números em seus peitos e os acompanhantes desejavam tudo de bom. Eles começavam a se posicionar atrás, espaço onde a polícia havia delimitado com um cordão de isolamento para a corrida e o desfile que aconteceria depois. As líderes de torcida chacoalhavam seus pompons e os amigos de Jimmy Banacos seguravam cartazes com palavras de encorajamento. Passamos pela multidão para nos encontrarmos com o treinador Sartori, conforme combinado, para nos ajudar com as inscrições. Ele estava perto da mesa de inscrição, e nos apresentou a sua esposa, que trazia uma câmera pendurada ao pescoço para registrar o evento. O treinador nos entregou nossos números, um duplo zero, o que fez com que todos caíssem na risada. Russ e Rob tiraram o maior sarro do irmão, rindo de como o número refletia tanto as nossas chances como a falta dos dois dentes da frente de Rick. O hábito incontrolável de ranger os dentes de Rick tinha transformado seus dentes de prata em meras manchas na gengiva. Era uma ótima visão. A zombaria ocorreu no bom sentido. Estávamos orgulhosos de usar nosso duplo zero, o primeiro número de todos os participantes da corrida. Em vez de prender o número na minha camisa, eu o prendi, do lado de fora da cadeira de rodas de Rick, para que todo mundo visse que éramos uma equipe.

Ao nos aproximarmos da multidão na linha de partida, percebi as pessoas olhando e imaginando que diabos eu estava pensando em fazer. Os organizadores do evento não apresentaram nenhum obstáculo à nossa participação, muito em parte porque Sartori já tinha explicado ao diretor da corrida que apesar de Rick estar confinado a uma cadeira de rodas, não havia problema algum deixá-lo participar. Sartori tinha deixado claro a importância da corrida para Rick e o quanto queria participar. Nós pagamos para participar, assim como todos os outros corredores. Não tivemos problema algum para nos inscrevermos, mas dava para perceber, pela cara dos participantes, que não confiavam que ficaríamos muito tempo na corrida. Conforme a hora do início foi se aproximando, tirei da minha cabeça a ideia de que aquela corrida seria muito difícil para nós, um desafio para o qual não estávamos prontos. "Você planeja correr o percurso todo?" perguntou a esposa do treinador, antes de nos despedirmos e nos posicionarmos na linha de partida. "Pode apostar que sim", respondi. Judy riu e disse que ia no máximo até a primeira esquina: "Ah, a gente vai completar a corrida. Rick não vai querer parar na primeira esquina.", disse "E nem eu", hoje eu posso dizer que estava dando uma de valentão. Na verdade, eu não fazia ideia do quanto ia conseguir, mas estava determinado a não desistir.

Ao me posicionar na linha de partida para a minha primeira corrida, atrás da cadeira de rodas do meu filho, com os raios de sol da manhã começando a aquecer os cabos da cadeira, eu me senti bem. Voltei aos meus tempos de ensino médio e à sensação de que tudo daria certo antes do início de um jogo de futebol. Eu me reunia com meus colegas do time de futebol no vestiário, e podíamos ouvir o barulho lá fora e as líderes de torcida no campo movimentando a multidão que esperava pela nossa entrada. Mas aquilo tinha acontecido há 20 anos e, sem sombra dúvida, muitos quilos atrás. Eu não era nem de perto o atleta que um dia pensei que fosse.

Olhei ao redor para os outros trinta e poucos corredores ao nosso lado na linha de partida. Todos eram magros e com os músculos bem torneados, com cara de campeões. Subitamente, fiquei preocupado com o peso da inatividade sobre mim. Também fiquei preocupado com meu filho – será que ele sabia onde estava se metendo? Ele tinha sido insistente a semana toda que antecedeu a corrida, mas eu tinha de saber se, naquele momento, era aquilo que ele queria de verdade. Ajoelhei-me ao lado de sua cadeira de rodas e perguntei se Rick tinha certeza de que queria participar da corrida. Disse que podíamos parar na hora que ele quisesse. Ou até mesmo nem começar. Não era tarde demais para mudar de ideia. Ninguém estava esperando nada. Rick balançou a cabeça, indicando que queria seguir em frente. Ele não conseguia parar de sorrir ao ver seus colegas e professores atrás do cordão de isolamento. Foi ali que soube que não ia decepcioná-lo. Aquilo era algo que ele precisava fazer, e eu precisava fazer por ele. Endireitei meu corpo, alonguei minhas pernas e me lancei na corrida. Um locutor fez a contagem regressiva no megafone, e lá fomos nós. Ou, para ser mais exato, os outros trinta e tantos corredores foram na nossa frente. Mas nós também estávamos nos movimentando.

Sabia que correr atrás de uma cadeira de rodas padrão não seria fácil. Simplesmente empurrá-la andando atrás já era difícil. Mas eu não fazia ideia do quanto seria difícil – ou doloroso – como foi. Rick estava adorando e apesar de não conseguir ver a expressão em seu rosto, suas mãos se esticavam e batia os punhos como se dissesse "Mais rápido, papai, mais rápido!". Eu ia o mais rápido que conseguia, mas rapidamente aprendi que a ideia de manter o ritmo fazia sentido. Tentei não me preocupar com os corredores à nossa frente. Com exceção de alguns, todos pareciam ter sumido de vista. Eu continuava correndo. Minhas mãos começaram a suar nos cabos de borracha da cadeira de Rick, e eu tinha de me concentrar em manter meus pés nos chão e impedir que minhas mãos escorregassem e se soltassem da cadeira. Outro problema que não havia previsto era que a corrida acontecia em uma rua pavimentada com uma elevação bem no meio do percurso, o que fazia com que a cadeira puxasse para o lado e, de vez em quando, erguesse um de seus lados completamente. Não era muito grande, mas eu fiquei preocupado com o que viria depois daquele solo batido. Tive de me esforçar muito para correr e, ao mesmo tempo, fazer com que a cadeira de Rick não saísse do caminho.

Suponho que todos deviam estar olhando para o nosso espetáculo – um homem de meia-idade e seu filho deficiente, chacoalhando na estrada em uma corrida. Tínhamos a nossa torcida, dava para ouvir a nossa família e amigos gritando e torcendo por nós. Havia os que também achavam estranho. As pessoas encaravam e apontavam. Ouvi vários "Olha só aquilo!" e, de certa forma, os olhares e comentários me faziam continuar. Agora eu tinha algo a provar. Entretanto, na metade do caminho, estava sentindo muita dor. O ar fresco da manhã batia em meus pulmões e eu sentia um calor que me tirava o ar. Tinha de me esforçar de forma consciente para respirar pelo nariz. Meus tênis novos já tinham feito bolhas nos meus calcanhares, e meus joelhos pareciam ser feitos de gelatina, como se, de súbito, meu corpo fosse se transformar em uma poça de geleia. Por causa disso, quase me sentia feliz por ter a cadeira de rodas para me apoiar e ajudar a manter-me em pé. Na metade do caminho, já fazia tempo que tinha perdido a noção dos outros corredores. Sabiam que muitos estavam lá na frente. Alguns já deviam até ter terminado. Mas eu insistia. Queria terminar o percurso todo.

Quando avistei a linha de chegada, pensei que estivesse sonhando. Judy, os irmãos de Rick, e todos os seus amigos estavam lá, pulando e gritando, e torcendo conosco naqueles últimos metros. A esposa de Sartori estava com a câmera pronta para tirar uma foto assim que cruzássemos a linha de chegada. Parecia irreal termos concluído a corrida. "Conseguimos, Rick!", disse, ofegante. Judy e os garotos, e a família Sartori vieram correndo ao nosso encontro e fizeram eco aos meus sentimentos: "Você terminou!", disseram todos quase sem acreditar. Ao sentar-me em cima dos joelhos para tentar recuperar o fôlego, Rick olhou para mim com aquele sorriso dele, cheio de amor e agradecimento. Sabia que depois da corrida eu ia ficar cheio de dor, mas a reação de Rick fazia valer a pena. Amava ver meu filho tão feliz "Ei, olha lá, pessoal. Vocês não foram os últimos", Rob exclamou subitamente, "Vocês ganharam daquele cara!", olhei para ver e, com certeza, houve um corredor que cruzou a linha de chegada depois de nós. Se eu não tivesse visto com meus próprios olhos jamais teria acreditado. Não só tínhamos conseguido terminar a corrida, como não tínhamos sido os últimos.

Assim que chegamos em casa, Rick quis ir para o TIC, eu queria dormir. Enquanto Judy foi preparar um almoço comemorativo e os garotos foram brincar em seus quartos, me joguei no chão, quase desmaiando, com dor em músculos que nem imaginei que existissem. Lembro-me de ter olhado para o teto, orgulhoso do que tínhamos feito ao mesmo tempo em que percebia como estava velho e fora de forma. Rick estava todo ocupado no TIC, ansioso para me contar como tinha se sentindo sobre o nosso desempenho.

Quando o barulho do clicar do botão da barra de metal cessou, sabia que era para eu ler o que ele havia escrito, esforcei-me para erguer-me do chão e praticamente engatinhar até o meu filho para olhar por cima do seu ombro. O que li trouxe-me lágrimas aos olhos. Rick tinha digitado: "Papai, quando estou correndo, não me sinto mais deficiente." Meus músculos doíam muito, e a ironia era que, enquanto Rick confessava como a corrida o libertava de sua deficiência, eu estava me sentindo deficiente. Urinei sangue por três dias depois daquela corrida e tive dificuldade de caminhar por várias semanas. Não foi nada bonito. Sentia como se meu corpo estive me boicotando, mas lendo as belas palavras sinceras que meu filho de 15 anos tinha escrito, vi que tudo valia a pena. Éramos uma equipe. Esse foi só o começo.

Nas semanas que se seguiram à corrida, coloquei na cabeça que me tornaria um corredor. A primeira coisa a fazer era comprar um par de tênis que realmente se adequasse à corrida e começar a me exercitar. Sabia que tinha de começar a treinar e nutria esperanças de sobreviver a mais de uma corrida. Entre o trabalho e as atividades das crianças, arrumei um tempo diário para correr.

Como nossas agendas nem sempre se encontravam e como Rick, às vezes, tinha lição de casa e outras coisas para fazer quando eu estava livre para correr, tive de ser criativo. Comprei um saco de cimento de 50 quilos e corria com ele na antiga cadeira de rodas de Rick.

Eu não era o único a ter de fazer um condicionamento físico. Ao ver o que acontece quando se corre empurrando uma cadeira de rodas padrão por oito quilômetros e consciente que um saco de cimento não era o melhor substituto para uma pessoa, sabia que tinha de encontrar uma maneira de reconfigurar a cadeira de rodas de Rick para que se adaptasse melhor à rua. Quanto mais rápido encontrássemos uma cadeira melhor, mais rápido poderia começar a participar de mais corridas. A busca começou. Experimentamos várias ideias e até chamamos nossos velhos amigos de Tufts para nos dar conselhos. Encontramos três ou quatro estilos diferentes de cadeira, mas nada parecia adequado. Uma chacoalhava demais e parecia frágil, a outra tinha pneus frágeis.

Eu ria quando me lembrava das velhas cadeiras de roda de Rick. Anos atrás, estávamos em férias e uma das rodas da cadeira, que mais parecia um carrinho de supermercado, caiu. A roda da cadeira que havíamos usado em nossa primeira corrida. Tentamos comprar um carrinho de um supermercado, mas não quiseram nos vender. Então, esperamos até ficar escuro, voltamos ao estacionamento, e enfiamos o carrinho no nosso carro! Carrinhos de supermercado não seriam a opção adequada para correr, mas queríamos ficar com ele para uma olhada geral antes de conseguirmos uma solução melhor.

Em uma de nossas férias em New Hampshire, em 1979, quando Rick tinha 17 anos, conheci um senhor que entendeu os problemas que Rick estava tendo com sua cadeira e disse que acreditava que poderia nos ajudar. Ele projetou um assento que se ajustava ao corpo de Rick, uma grande melhoria que aliviava nossa constante preocupação de que ele pudesse escorregar da cadeira a qualquer momento.

Judy visitava o Centro de Reabilitação Crotched Mountain regularmente, em Greenfield, New Hampshire, para ficar sabendo mais sobre novas terapias para Rick. Lá, um engenheiro se voluntariou para construir um modelo de cadeira melhor e mais adequado para corridas, algo mais aerodinâmico do que o estilo de carrinho de supermercado que estávamos usando. Enquanto isso, fui atrás de pneus de bicicleta que pudessem se adequar à nova cadeira. Com a ajuda de alguns voluntários especiais e um pouco de ingenuidade, por 35 dólares o engenheiro finalmente criou uma cadeira de corrida baseada nas minhas ideias sobre o que poderia dar certo. Parecia-se muito com os carrinhos de bebês de hoje; tinha dois grandes pneus de bicicleta dos lados e um menor, na frente. Também tinha o assento especialmente projetado, revestido com espuma para ajustar-se ao corpo de Rick e mantê-lo no lugar. É claro que atualmente esses modelos são vistos por toda parte, com todas as formas e estilos. Se ao menos tivéssemos patenteado aquele projeto, hoje estaríamos ricos!

Depois de três anos, após a corrida de Jimmy Banacos, treinamos e encontramos a cadeira perfeita para Rick. Só então nos sentimos confortáveis para finalmente corrermos, sabendo que estávamos prontos para nossa primeira corrida séria. Aquele tempo todo, eu não parava de pensar naquela corrida beneficente e como ela tinha apresentado à minha família uma atividade onde eu e meu filho mais velho podíamos compartilhar algo capaz de fortalecer a nossa ligação.

Na fotografia que a Sra. Sartori tirou, é possível ver como Rick tinha ficado feliz. O cabelo voando para trás, os olhos abertos e o maior sorriso de todos, sem os dois dentes da frente. Ele está rindo. Eu estou empurrando a cadeira, e a roda direita da frente está levemente erguida, então parece que Rick vai decolar como se estivesse voando. Nosso número, o duplo zero, pairava sob os cabos entre o meu rosto e o de Rick. Toda vez que olho para aquela fotografia, sorrio. Penso em como sou agradecido por ter Rick em minha vida. Penso na nossa forte ligação por causa da corrida e da primeira vez que corremos como uma equipe. Desde então, nunca mais paramos de correr, e nunca terminamos em último lugar.

Alguns anos atrás, um homem veio a mim e se apresentou como colega de escola de Jimmy Banacos. Perguntei onde Jimmy estava. Sabia que ele tinha se mudado para a Flórida anos antes. O amigo de Jimmy ficou quieto e disse que sentia muito em dizer que Jimmy tinha falecido em 2005 depois de um episódio de pneumonia. Ele viveu por muito tempo com a paralisia, apesar dos médicos inicialmente terem dado a ele uma expectativa de vida de cinco anos. Jimmy tinha recebido um diploma emérito da Faculdade Estadual de Westfield, ficou casado por pouco tempo, e estava trabalhando em um livro na época da sua morte. Ele manteve contato com os diretores da faculdade e foi nomeado um dos atletas do Corredor da Fama.

A Corrida de Rua de Jimmy Banacos ainda acontece todo anos. O departamento de esportes da faculdade dedicou um campeonato a Jimmy, a Copa Jimmy Banacos. Os times da faculdade, de diferentes esportes, são julgados no decorrer de um ano, e o time vencedor é declarado campeão.

Todo mundo adorava Jimmy – antes e depois do acidente devastador. Assim como Rick, ele tinha uma personalidade magnética e adorava estar ao redor das pessoas. Sua mãe, Toulah, agora uma viúva de oitenta e poucos anos, tinha sido a força norteadora para Jimmy ficar tão bem como ficou por tantos anos. Ela procurou vários tipos de tratamento e cirurgias, até alguns tratamentos experimentais fora do país. Falei para o amigo de Jimmy o quanto ele significava para mim e para meu filho, como Rick sempre disse que precisava participar daquela primeira corrida porque precisava mostrar a Jimmy que a vida continua, apesar da deficiência. Pergunto-me se Jimmy algum dia percebeu isso, se ele sabia como Rick se sentia em relação a ele e ao futuro dos dois, e do impacto que sua história havia causado em nossas vidas. Apesar de terem sido nossa inspiração, Rick e eu nunca conhecemos a família Banacos para agradecer pessoalmente.

[CAPÍTULO 10]

Resistência

Três anos depois daquela primeira corrida, Rick e eu estávamos prontos para competir novamente. Tínhamos ouvido falar de uma corrida de dez quilômetros que acontecia todo ano ali perto, em Springfield, Massachusetts, como parte de uma celebração grega chamada de *Glendi Festival*. Parecia divertido, então decidimos que os dez quilômetros de Springfield seriam a nossa primeira corrida oficial, uma maneira de debutar no mundo das corridas.

Quando aparecemos no dia da corrida, Rick em sua nova cadeira de corrida e eu me sentindo muito mais preparado para uma corrida de longa distância depois de todo o treinamento, encontramos um obstáculo inesperado. Ao passarmos no meio da multidão, que era bem maior do que a da corrida beneficente de Jimmy Banacos, havia corredores sérios por toda a parte. Senti que não éramos exatamente bem-vindos. Na mesa de inscrição, os diretores da corrida olharam para nós de forma confusa. Eles reviraram seus papéis, sussurraram uns com os outros como se não estivessem bem na nossa frente, e pareciam relutantes em até mesmo nos deixar fazer a inscrição. Fiquei surpreso e um pouco envergonhado. Aquela era a primeira vez que tinha encontrado oposição em uma atividade extracurricular. Não parecia possível depois de todo o trabalho que tínhamos feito para chegar lá.

Logo ficou óbvio que muitas pessoas nessa corrida opunham-se à nossa participação – dos organizadores do evento aos corredores inscritos. Os organizadores da corrida tentaram explicar como se fosse uma formalidade. Para começo de conversa, havia o problema das categorias da corrida. As corridas eram divididas por grupos, então os organizadores questionavam se devíamos estar categorizados pela minha idade ou a de Rick. Finalmente, depois de discutir um assunto que nos acompanharia nas próximas corridas, nos forneceram dois números diferentes. Eu seria julgado de acordo com a minha idade e Rick de acordo com a dele. Aos olhos dos oficiais, tudo se resumia a um único problema – não havia uma categoria para nós. A deficiência de Rick o impedia de empurrar sua própria cadeira, então não seria justo com os outros atletas cadeirantes se competíssemos contra eles. Acho que também imaginaram que Rick e sua cadeira poderiam atrapalhar o caminho dos corredores fisicamente saudáveis, se competíssemos contra eles. Algo tão simples quanto uma inscrição para uma corrida, havia rapidamente se transformado em algo muito complicado.

É óbvio que todo mundo que me conhece sabe que não aceito não como resposta. Estava correndo por Rick, que desejava ser um atleta, mas não tinha como realizar seu sonho. Não estava correndo para meu bel-prazer. Estava simplesmente emprestando meus braços e pernas ao meu filho. Não permitiria que os diretores me desencorajassem. Depois de um pouco de persuasão, Rick e eu finalmente estávamos inscritos na corrida de forma oficial, cada um de acordo com a sua idade. Mas a resistência não pararia por ali.

Havia um sentimento geral de negatividade no ar. Ninguém queria Rick em uma corrida de rua. Todos, incluindo os outros participantes, olhavam para a gente como se não tivéssemos nada a ver com aquele evento. Ninguém falava com a gente nem queria ter nada a ver conosco. Alguns dos corredores saudáveis chegaram até a verbalizar suas preocupações, perguntando por que eu queria empurrar um garoto em uma corrida se ele nem conseguia falar e só ficava lá sentado na cadeira de rodas. Não podia culpá-los. As pessoas com frequência não recebiam informações sobre pessoas deficientes, e nunca tinham visto uma dupla como nós. Era como se Rick tivesse alguma doença transmissível e os outros corredores e espectadores imaginassem que fossem pegar alguma coisa dele. Aquele era um momento diferente, um momento de rejeição, e é por isso que Rick e eu, atualmente, fazemos tanto para encorajar a conscientização para a deficiência. Levou muito tempo, mas estou feliz em dizer que as coisas melhoraram sensivelmente. Naquela época, contudo, nos acostumamos à oposição.

Esperar na linha de partida de Springfield foi diferente da espera para a corrida beneficente há três anos. A princípio, havia 300 corredores participando dos dez quilômetros, então estávamos rodeados por um mar de atletas. Apesar de estar com 40 anos, sentia-me mais forte e em condições melhores do que três anos antes. Enquanto esperávamos pelo tiro de largada, pensei, “Podemos fazer isso”. A Equipe Hoyt estava pronta. E lá fomos nós. Todo nosso trabalho árduo e preparação rapidamente ficaram evidentes. Foi uma corrida muito mais suave. A nova cadeira de corrida funcionou exatamente como esperávamos. Os pneus de bicicleta prendiam-se ao chão e nos mantinham no curso sem desvios. A sensação foi boa também, como se pudesse continuar correndo o dia todo. Dez quilômetros não seriam nada. E foi tudo bem. Contudo, a minha família pode ter subestimado a habilidade atlética da Equipe Hoyt. Alguns membros da família vieram torcer por nós, mas não esperavam que chegássemos ao final da corrida. Eles estavam passeando pelas barraquinhas quando cruzamos a linha de chegada.

Terminamos em 38 minutos e 30 segundos, na frente de 150 dos 300 corredores. Judy e os garotos vieram nos cumprimentar, me senti muito bem com o nosso desempenho. Dava para ver que Rick estava satisfeito, também. Seu sorriso clássico de orelha a orelha dizia isso. Ao limpar o suor da testa, conversamos sobre o que queríamos fazer no restante do dia agora que tínhamos terminado nossa primeira corrida oficial com um pé nas costas, quando outro corredor veio apertar a minha mão. Dada a recepção fria que tínhamos recebido, fiquei um pouco surpreso. O corredor, Pete Wisnewski, queria me dizer como tínhamos ido bem. Ele foi amigável e conversou muito, causando uma ótima impressão. Pete nos tratou como se fôssemos iguais aos outros corredores que tinham treinado e mereciam terminar em uma boa posição. Foi um agradável progresso depois do que havíamos vivido com os outros atletas no começo de nossa amizade. Pete, um corredor há muito tempo, sabia sobre a nossa corrida em Massachusetts. Mais tarde, treinamos juntos. Como ele era um corredor mais rápido que Rick e eu, realmente me inspirou para melhorar minha força e velocidade.

Depois dos 10 quilômetros de Glendi, os finais de semana em 1980 eram reservados para corrida. Quase todo final de semana, achávamos uma corrida em algum lugar. Rick eu adorávamos acordar cedo aos sábados; eu colocava a cadeira de corrida no carro e lá íamos nós. Às vezes, nos aventurávamos para fora de Massachusetts. Com frequência, nosso novo amigo Pete Wisnewski vinha conosco. Pete nos apresentou a ideia de corridas mais longas.

Às vezes, Rick e eu participávamos de até três corridas, uma durante a semana e então mais duas; uma no sábado e outra no domingo. Era como se não conseguíssemos parar. Rick era a força motriz por detrás de todas as corridas. Corrida após corrida, ele chegava em casa e perguntava em seu computador "Quando é a próxima corrida?" Eu me preocupava um pouco com ele por causa desse espírito tão competitivo. Às vezes, no meio da corrida, se avistasse outro corredor na nossa frente que pudéssemos ultrapassar, ele ficava tão excitado que se debatia na cadeira e eu tinha de dizer para ele pegar leve senão cairia. O treinamento entre pai e filho era algo bilateral. Rick fazia com que eu me esforçasse, mas não demais. Ele ouvia a minha respiração durante uma corrida. Se eu parecia cansado demais, ele virava a cabeça como se dissesse para mim "Agora é você quem tem de pegar leve, papai". Nossa equipe sempre foi ótima, e conforme participávamos das corridas, as pessoas finalmente começaram a aceitar a ideia de competirmos juntos. Mas foi uma árdua batalha.

Quando começamos a fazer o nosso nome e competir oficialmente, os repórteres começaram a contar nossa história nos jornais e revistas. Recebi cartas de pessoas com deficientes na família que estavam bem chateadas e queriam saber por que eu estava arrastando meu filho para aquelas corridas. O que eles não entendiam é que era meu filho que estava *me* arrastando para todas aquelas corridas diferentes. Era Rick quem queria correr. Eu pensava que, se era aquilo tudo o que ele queria de mim – que eu corresse alguns quilômetros empurrando-o em sua cadeira de rodas – então era o mínimo que eu podia fazer por meu filho.

Por volta dos anos 1980, começamos a avaliar nossas semanas de três corridas. Quanto mais corríamos, mas forte ficávamos. Em uma semana de três corridas, parecia que sempre éramos mais rápidos na terceira corrida, como se estivéssemos apenas caminhando. Foi aí que me ocorreu que, como nosso amigo Pete havia sugerido, com certeza poderíamos correr distâncias mais longas do que os cinco ou dez quilômetros que vínhamos correndo. Pete concordou, dizendo que devíamos seguir em frente. Foi então que decidimos que correríamos a avó de todas as maratonas: a Maratona de Boston.

No final do inverno de 1980, enviei por correio a nossa inscrição na Maratona de Boston para a Associação Atlética de Boston (BAA).

Duas semanas depois, recebemos a resposta. Nossa inscrição tinha sido rejeitada. Não tínhamos permissão para correr a maratona como participantes oficiais e não tínhamos qualificação para a categoria de cadeirantes. Depois dos problemas que tivemos para nos inscrever nos 10 quilômetros de Springfield, eu não fiquei surpreso. Imaginei que tinha apenas de insistir com a BAA até que os organizadores tivessem piedade. Eu telefonei e escrevi uma dúzia de vezes entre a primeira inscrição e o mês de abril, quando a corrida aconteceu. A resposta era sempre a mesma – vocês não podem correr a maratona, pois não se qualificam para nenhuma das categorias. Finalmente, achei que eles cederam um pouco, bem quando eu pensava em parar de incomodá-los. Oficiais da corrida concordaram em nos deixar participar, mas não receberíamos um número, e teríamos que nos posicionar atrás dos cadeirantes. Então, podíamos correr, mas como participantes não oficiais. Ou, como os corredores chamam todas as pessoas que participam de uma corrida sem pagar a taxa de inscrição, podíamos correr como bandidos.

Não fiquei feliz com a ideia de ser considerado um fora da lei, mas como a maratona estava se aproximando, parecia ser nossa única opção. Não podíamos *não* participar da Maratona de Boston. Havia algo, tanto em Rick quanto em mim, que nos levava a participar daquela corrida. Era a corrida na nossa cidade natal. Sentíamos que pertencíamos àquele lugar e estávamos prontos para tentar.

Nos meses que antecederam a maratona, treinei com mais afinco, correndo distâncias maiores em um tempo maior. Enquanto Rick estava na escola e não podia treinar comigo, eu recorria ao confiável saco de cimento para praticar comigo. Apesar de todo o trabalho que tive, sabia que se tínhamos alguma esperança de terminar a maratona, e em boas condições, precisávamos correr mais que 16 quilômetros.

Como sempre, nosso colega de corrida Pete veio com a solução. Ele conhecia uma corrida de 30 quilômetros chamada Chop-a-Thon, em Albany, Nova York, que acontecia um mês antes da Maratona de Boston. Parecia a corrida perfeita para praticar. Se conseguíssemos correr os 30 quilômetros, disse a Rick, facilmente conseguiríamos correr 40. Concentramo-nos na corrida de Nova York.

O dia da corrida em Albany estava horrível. O norte de Nova York em março estava exatamente como se esperava – nevando e frio. Mas nós éramos homens de Massachusetts. Sabíamos que podíamos dar conta daquilo. E se não pudéssemos, não deveríamos correr em Boston. Na manhã da corrida, agasalhamos Rick com todos os tipos de malhas, um gorro, luvas e óculos de sol. Provavelmente fizemos o garoto engordar dez quilos. Mas, com certeza, não ia sentir frio.

Um repórter do canal 4 de Boston, Barry Nolan, tinha nos acompanhado até Albany, baseando-se em uma dica de uma mulher que pretendia ganhar o concurso da estação intitulado "A História Mais Inspiradora de Boston". A história da Equipe Hoyt acabou vencendo o concurso, antes de tentarmos participar da Maratona de Boston, e a mulher ganhou uma viagem ao Havaí! Antes de a corrida começar, eu disse a Nolan que nosso objetivo era correr em um ritmo de sete minutos por quilômetro. Lembro-me de como ele nos olhou com surpresa e dúvida. Mas vínhamos treinando muito. Com neve ou sol, sentia que conseguiríamos.

A Equipe Hoyt tinha algo a provar antes de tentar correr a maratona. Seriam 30 quilômetros de muito frio, mas me senti bem por estar ali correndo naquele momento, empurrando Rick. Judy, Rob e Russ nos seguiram de carro por uma estrada paralela à da corrida. Eles abaixavam os vidros do carro e paravam de vez em quando só para torcer por nós. Eu acenava para eles quando os via, e isso me impulsionava. Havia 1.300 corredores na Chop-a-Thon de Albany, e com um tempo de duas horas e seis minutos, nós deixamos para trás 900 deles. Nolan estava lá na linha de chegada para nos dizer que tínhamos atingido a meta de sete minutos por quilômetro. Quando ele perguntou qual seria a próxima, respondi na hora: Boston.

Terminar de forma tão forte a Chop-a-Thon serviu para estabelecer nossa credibilidade, mas eu sentia que ainda enfrentaríamos certa resistência em se tratando de Boston. Afinal de contas, correríamos como bandidos – uma categoria decepcionante – mas parecia não haver outro jeito. Ainda tínhamos de provar nossa capacidade. É difícil olhar para trás e lembrar que um dia, no mundo das corridas, as pessoas não aceitavam a mim e ao meu filho. Depois de todas as corridas que participamos e do tempo que fizemos, as posturas começaram a mudar lentamente. Dou crédito a isso à Rick e sua habilidade de conquistar as pessoas. Bastava alguém se aproximar da gente, falar com Rick, para vê-lo como uma pessoa. Corredores e fãs de corrida começavam a reconhecer que estávamos competindo seriamente e que ser capaz de participar de um esporte quase que exclusivamente permitido aos fisicamente ativos ou aos deficientes com algum tipo de controle do corpo significava tudo para Rick. Pelo bem do meu filho, deixei de lado todos os pensamentos relacionados à resistência ou obstáculos e esperei ansiosamente por Boston.

No grande dia da maratona, em 20 de abril de 1981, chegamos ao ponto de partida na cidade de Hopkinton, quatro horas antes. Nunca tinha ficado tão ansioso em uma corrida. Sabia que aquilo seria grandioso, para mim e para Rick. Esperávamos terminar em três horas. Não parava de verificar a cadeira de Rick e provavelmente o deixei louco por perguntar inúmeras vezes como ele se sentia e se estava bem. Tentei ficar o mais calmo possível. Honestamente, estava morrendo de medo que os oficiais fossem nos tirar da corrida no último minuto. Finalmente, eles anunciaram que a corrida ia começar e que os cadeirantes deveriam se arrumar para a largada. Entramos na fila, disse para Rick se segurar. Corredores oficiais ou não, lá íamos nós na Maratona de Boston. Era impressionante estar no meio de todos aqueles atletas e ouvir o barulho dos espectadores, uma multidão que nunca tinha presenciado antes. Senti-me extremamente feliz – nos primeiros 30 quilômetros.

Então, no 35º quilômetro, fui abatido. Ou bati em algo – em uma parede. Minhas pernas pegavam fogo, meus pulmões doíam, e até mesmo meus braços doíam. Tinha momentos em que sentia que vomitaria toda a água que tinha bebido antes da corrida, e quando o vento batia no meu peito, achava que a parte superior do meu corpo congelaria. Doía tanto que fui forçado a caminhar um pouco. Sabia que nosso objetivo de terminar a corrida em três horas já era. Surpreendentemente, os outros corredores deram seu apoio. Aproximavam-se de mim e batiam nas minhas costas, gritavam "Muito bem" ao passar por mim, e me encorajavam a continuar aguentando. E apesar das batidas nas minhas costas parecerem pesar 50 quilos, eram inspiradoras. O jogo do Red Sox tradicionalmente acontecia ao término da corrida, antes de chegarmos à reta final perto do Fenway Park, mas os torcedores já estavam entre os que torciam pelos maratonistas. Estavam torcendo por nós. Rick quase se jogava no ar, ele ficou tão animado com os aplausos.

Cruzamos a linha de chegada na Copley Square (na frente da Prudential Tower), nossa primeira maratona, depois de três horas e dezoito minutos de corrida – um ritmo de sete minutos e meio. Rick e eu estávamos com frio, exaustos e desapontados por não termos atingido nosso objetivo. Mas tínhamos terminado. Tínhamos corrido a Maratona de Boston.

Logo depois que a maratona acabou, Nolan levou ao ar uma continuidade da nossa história no canal 4, em Boston. Aquela transmissão acabou nos colocando no mapa, e senti-me revigorado pelos elogios que recebemos. Falei de Rick, da sua cadeira, do TIC, para que os médicos do Centro Médico de Tufts tivessem seu devido reconhecimento, o que levou ao patrocínio de outros projetos. Rick e eu nos sentimos celebridades do dia para a noite. Nem sabíamos muito bem o que fazer com a atenção recém-recebida. Eu só tinha esperança que o barulho fosse facilitar nossas futuras corridas – incluindo a Maratona de Boston. Rapidamente retomamos nosso treinamento e planejamento para outro ano de corridas. O tempo todo, pensando em Boston. No próximo ano. Em correr mais rápido e melhor, e como participantes oficiais em vez de bandidos.

Na matéria de Nolan, ele perguntou se correríamos a Maratona de Boston novamente. Disse a ele que correríamos no próximo ano e que faríamos o percurso em três horas. Era uma promessa que eu almejava cumprir.

[CAPÍTULO 11]

A Maratona de Boston

Desde a primeira vez em que corremos como bandidos, Rick e eu participamos da Maratona de Boston 27 vezes. É a única corrida que quase nunca perdemos desde que começamos a competir, dada a sua importância para nós. Só estivemos ausentes duas vezes, uma em 2003 porque tive um infarto, e uma vez em 2007, pois Rick estava se recuperando de uma cirurgia. Isso revela nossa fidelidade ao evento.

Há algo na Maratona de Boston que nos faz voltar todo ano. E não é só por ser a mais antiga de todas as maratonas do mundo. Não tem necessariamente a ver com a mística que envolve a corrida também, sua origem grega, ou a grande multidão que participa todo ano.

Também não é a comoção em torno do Dia do Patriota, um feriado que comemora o dia das primeiras batalhas da Revolução Norte-americana. Nem o grande jogo no Fenway Park em que o Red Sox joga em casa desde 1959. Tudo isso é atraente e torna a maratona excitante. Mas o que realmente torna a Maratona de Boston especial, explicando de maneira bem simples – é por ser a corrida da nossa cidade natal.

A Maratona de Boston foi a primeira que concluímos, então é natural que tenha um lugar especial em nossos corações. Fica bem perto do lugar em que nossos filhos foram criados, portanto, aos meus olhos, é a maratona perfeita. O evento permitiu que meu filho e eu fizéssemos parte de uma das corridas mais prestigiadas do mundo, além de nos fazer sentir legítimos atletas, apesar dos oficiais da corrida terem levado um tempo para reconhecer esse fato.

Em um artigo escrito há alguns anos para a revista *Runner's World*, Jack Fleming, porta-voz da BAA, refletiu sobre a forma como eu e Rick havíamos nos tornado legítimos corredores da maratona. "Eles personificam tanto a raça quanto a elite dos atletas", dizia Fleming no artigo. E continuou: "Eles também representam a quintessência de New England. As pessoas os adoram." Palavras como essas faziam com que nos sentíssemos acolhidos, como se realmente fizéssemos parte daquilo, o que trazia uma satisfação especial por conta do trabalho árduo que tivemos para fazer com que as pessoas nos enxergassem sob essa perspectiva.

Uma das principais razões de corrermos todos os anos em Boston é por ser gratificante saber que fazemos parte de algum lugar, mas também somos respeitados. As pessoas querem nos conhecer e contar suas histórias para nós, algo que acho incrivelmente emocionante toda vez que acontece. Pessoas totalmente estranhas chegam até nós antes da corrida e apertam nossas mãos, batem em nossas costas, e dizem "Todo ano, esperamos ansiosamente para vê-los novamente. Se vocês não estiverem na corrida, não é a Maratona de Boston". Eles querem tirar fotografias conosco e nos desejar boa sorte.

A melhor parte da Maratona de Boston é a exposição que a antecede. Há barracas com amostras grátis e toda a parafernália das maratonas. Podemos conhecer pessoas de toda parte do planeta. Esse é o nosso momento favorito, e é provavelmente por isso que decidimos montar a barraca da Equipe Hoyt há alguns anos. Adoramos encontrar todas aquelas pessoas, muitas das quais querem conversar comigo e com Rick para compartilhar as dificuldades e os sucessos da vida. Outros pais e filhos, mães e filhas, maridos e esposas conversam conosco sobre como sua relação se fortaleceu por causa da corrida. O mesmo ocorreu com Rick e comigo. Então ver que isso refletiu em outros, nos faz sentir como se estivéssemos fazendo alguma diferença na vida das pessoas.

Apesar das centenas de outras corridas que participamos e da quilometragem que acumulamos, a Maratona de Boston é a nossa corrida predileta e esperamos por ela com ansiedade todos os anos. Minha relação com meu filho tornou-se muito especial porque descobrimos nosso amor comum pela corrida. Rick e eu costumamos dizer que, se pudéssemos participar apenas de uma corrida por ano, então seria a Maratona de Boston. Nosso destino era participar dela. Mas demorou um tempo até que os outros percebessem isso.

Depois da nossa primeira Maratona de Boston, em 1981, organizei-me para cumprir a minha promessa de que no próximo ano não participaríamos da corrida como bandidos, mas sim como corredores oficiais. Como a maioria das coisas no mundo, era mais fácil dizer do que fazer. Entre a nossa primeira Maratona de Boston e a seguinte, Rick e eu participamos de mais de 50 corridas diferentes. Eu provavelmente escrevi um número similar de cartas para BAA tentando convencer os oficiais a autorizar nossa inscrição. Toda vez que eu escrevia ou telefonava tentando provar que Rick e eu éramos capazes e merecíamos uma posição entre os corredores oficiais – não importa se tentasse provar dizendo como havíamos terminado bem uma corrida de longa distância ou como nunca havíamos nos machucado – a resposta era sempre não. Até fiz contato com Will Cloney, o diretor executivo da corrida na época. Ele foi solidário, mas permaneceu firme, dizendo que simplesmente não havia nada que pudesse fazer para alterar as regras, permitindo nossa participação oficial. Eu entendi em que ele baseava seu argumento, mas na minha família, havia aprendido há muito tempo que, às vezes, as regras precisam de ajustes. O mínimo que merecíamos era que nos dessem uma chance. Apesar da decepção, Rick e eu continuamos nossa rotina como sempre, sentindo que nosso treinamento acabaria valendo a pena.

Infelizmente não foi em 1982 que conseguimos essa vitória, pois, mais uma vez, fomos forçados a correr em nossa cidade natal como bandidos. Mas, uma das minhas promessas consegui cumprir. Corremos em menos de três horas. Nosso tempo foi de duas horas e cinquenta e nove minutos. E a mídia percebeu. Até mesmo os oficiais da BAA nos parabenizaram pelo feito. Os repórteres ficaram tão impressionados que começaram a me perguntar se eu não pensava em correr sozinho – sem o meu filho. Tinha sido a primeira vez que alguém sugeria aquilo, e fiquei muito chocado. Acho que a ideia nunca tinha me ocorrido. Apesar de estar feliz pelas pessoas estarem começando a me ver, especialmente por conta da minha idade, como um atleta capaz, respondi rapidamente que jamais correria sem meu filho. Ele era a razão pela qual tinha começado a correr para começo de conversa. Continuamos com a prática pelo bem de todas as outras pessoas deficientes que não tiveram as mesmas oportunidades que nós. Nossa intenção sempre foi a de conscientização, e enquanto puder continuar fazendo isso, vou continuar. Além do mais, sem Rick, eu jamais saberia o que fazer com os meus braços.

Antes que me desse conta, mais um ano havia se passado. Embora fosse difícil acreditar, Rick estava no terceiro ano do ensino médio em Westfield quando a Maratona de Boston de 1983 aconteceu. Judy tinha acabado sua especialização em educação especial. Rob morava sozinho e tinha um bom emprego e Russ era o campeão da equipe de luta do ensino médio. Rick e eu corríamos sem parar. Ganhamos notoriedade e apoio público, mas ainda tínhamos que convencer a BAA que estávamos prontos para competir oficialmente em Boston. Quando pressionamos, a resposta continuou sendo a mesma – Rick e eu podíamos correr de forma não oficial, mas como Rick não corria e não conseguia empurrar sua própria cadeira, eu seria considerado o único atleta da nossa equipe. Era frustrante, para dizer o mínimo. Nos sentimos acolhidos no sentido de que podíamos pelo menos participar da corrida, mas estávamos cansados de sermos bandidos. Pelo menos, eu estava. Não gostava de fazer parte de uma coisa que ao mesmo tempo fazia sentir-me excluído. Rick costumava dizer que não se importava de que jeito correríamos, contanto que seus amigos e familiares estivessem lá para torcer por ele. Era por isso que ele ansiava todos os anos.

Eu ficava feliz com a postura de Rick, mas o reconhecimento oficial era importante para mim. Era mais um obstáculo a ser vencido para fazer com que os outros percebessem que as pessoas com deficiências não são menos capazes ou menos valiosas do que as saudáveis. A meus olhos, Rick era um atleta – ele podia ser qualquer coisa que desejasse ser e fazer qualquer coisa que desejasse fazer. Às vezes, temos de ser criativos para fazer as coisas acontecerem, mas eu tinha plena confiança em meu filho.

Finalmente, com a mídia do nosso lado, a BAA resolveu ceder. Era tarde demais para fazer qualquer diferença para a maratona de 1983. Entretanto, a BAA disse que no futuro poderíamos correr oficialmente – se atendêssemos aos requisitos específicos. A novidade era promissora, mas vinha com uma condição. Tínhamos de correr rápido o suficiente para nos qualificarmos. E esse correr rapidamente não era de acordo com a categoria da minha faixa etária (três horas e dez minutos), mas conforme a categoria da faixa etária de Rick. Para que nos qualificássemos como corredores oficiais, tínhamos que concluir outra qualquer maratona oficial em duas horas e cinquenta minutos, pré-requisito para os corredores de 21 anos. Você aposta quanto que os diretores da maratona achavam que nunca conseguiríamos esse tempo?

Você aposta quanto que eu estava determinado a provar que eles estavam redondamente enganados? Naquele ano, superamos nosso recorde anterior e corremos a Maratona de Boston em duas horas e cinquenta e oito minutos. Não foi bom o suficiente para nos qualificarmos, mas estávamos chegando perto. E estávamos decididos a nos aproximar cada vez mais.

Rick e eu começamos a participar de todas as corridas possíveis, e daí os diretores das corridas começaram a nos convidar. Nossa história tinha se espalhado, e começamos a receber mais convites do que podíamos realmente aceitar. Procurávamos aceitar todos os que podíamos – longas ou curtas distâncias, beneficentes ou patrocinadas – e considerávamos todas como treino para Boston. Lembre-se que Rick estava na escola e eu trabalhava período integral. Era o maior malabarismo, mas Rick e eu achávamos que valia o sacrifício. Mais do que tudo, queria me qualificar. Finalmente, nosso amigo Pete Wisnewski sugeriu a Maratona do Corpo de Fuzileiros Navais, em Washington D.C. É uma corrida de longa distância que atrai um grande número de corredores e tem um ótimo trajeto. Como ocorre no outono e não no meio do inverno, parecia a nossa chance de conseguir o tempo necessário de qualificação de duas horas e cinquenta minutos. Algo me dizia que aquela era a nossa corrida.

Em outubro de 1983, um final de semana antes do Halloween, fazia um dia frio e chuvoso na capital, mas não estava nem perto do frio de Boston em abril daquele ano, portanto, estávamos agradecidos por isso. E otimistas. Rick, como sempre, levava tudo na esportiva e tirou a minha seriedade em um piscar de olhos. Na manhã da Maratona do Corpo de Fuzileiros Navais, quando entrei no quarto de Rick para arrumá-lo, ele estava esperando com a cabeça raspada (graças a seus irmãos), um uniforme de Fuzileiro Naval que tinha dado um jeito de comprar, e uma saudação. Rick sempre soube aliviar a tensão, e ele sempre consegue perceber quando estou nervoso antes de uma corrida e preciso me acalmar.

Depois de uma boa risada por vê-lo vestido de fuzileiro, vesti-o com roupas mais adequadas à maratona, verifiquei três vezes todos os itens da cadeira de corrida, e fomos para a maratona da capital da nação. Tente imaginar como é correr no meio daquele fervor patriota, cercado de monumentos históricos a cada curva. A multidão era imensa – a maratona é a quinta maior dos Estados Unidos, a décima maior do mundo. Por ser a maior da categoria e não oferecer um prêmio em dinheiro ao vencedor, a maioria das pessoas a chama de "Maratona do Povo". Com certeza, havia várias pessoas para testemunhar a corrida. Em meio aos atletas saudáveis, havia uns poucos cadeirantes, e nós ficamos ao lado deles. No tiro de largada, saí em disparada, e terminamos os primeiros 16 quilômetros em pouco mais de uma hora – rapidez suficiente para alcançarmos nosso objetivo. Tentei manter o ritmo dali em diante. Conforme fomos nos aproximando da linha de chegada, não conseguia olhar direito no relógio. Mas vi a reação de Rick, batendo os braços no ar. Quando cruzamos a linha de chegada e ouvimos uma salva de palmas como nunca tínhamos ouvido antes, sabia que tínhamos conseguido.

Nosso tempo oficial na Maratona do Povo foi de 2:45:30. Douglas Donaldson, um jornalista que escreveu um artigo sobre nós para a revista *Heart-Healthy Living* no verão de 2007, explicou o feito – *Pense da seguinte forma: a dupla terminou mais rápido do que Lance Armstrong na Maratona de Nova York em 2006. E a maioria dos maratonistas dedicados treina durante anos aspirando fazer um tempo menor do que o de três horas* – geralmente não sou do tipo que fico me gabando das minhas habilidades, mas depois daquela Maratona do Corpo de Fuzileiros Navais, eu sabia que tínhamos feito algo grandioso. Tantas pessoas vieram nos parabenizar depois, era impressionante. Até mesmo Bill Rodgers, um dos meus heróis pessoais, quatro vezes vencedor da Maratona de Boston, disse a um repórter da revista *People Weekly* que Rick e eu éramos atletas de classe mundial – *Todo mundo envolvido em maratonas inspira-se na Equipe Hoyt* – Mal consigo expressar como fiquei emocionado ao ouvir um atleta de tanto respeito falar de mim de uma forma tão positiva. Contudo, estava mesmo aliviado por mim e Rick termos conseguido. Sabia que tinha dado certo, pois havíamos ficado quase cinco minutos abaixo do tempo de qualificação exigido, e que finalmente seríamos participantes oficiais da Maratona de Boston. Assim que chegamos em casa da viagem à capital, preenchi nossa inscrição e até fiz com que Rick assinasse com um "X". Logo em seguida, a BAA nos deu autorização para participar da corrida – oficialmente. Foi um dia emocionante, a Equipe Hoyt tinha superado mais um obstáculo.

Devido ao nosso triunfo na Maratona de Boston, cada vez mais pessoas queriam contar a nossa história, e 1984 provou ser um grande ano para a família Hoyt. O programa de televisão de rede nacional, *Hour Magazine*, apresentou uma matéria sobre nós um pouco antes da maratona de 1984. Parecia que todo mundo em Boston nos reconhecia do programa. Sem sombra de dúvida, todo mundo que participava da corrida sabia os nossos nomes. Com certeza, os oficiais da BAA tinham visto o especial na televisão, e por conta do nosso histórico com eles, também sabiam nosso nome. Na exposição que antecedeu a maratona, enquanto nos preparávamos para a corrida e passávamos pelas atividades comuns dos inscritos – antes de recebermos nosso primeiro número de inscrição legítimo da Maratona de Boston – os membros do comitê da BAA pediram a mim e ao meu filho que conversássemos com a mídia e ajudássemos na divulgação do evento. Reconheci a ironia do pedido, mas fiquei feliz em ajudar.

Como já não éramos mais bandidos, estava feliz. Rick adorava a atenção especial. Ele dizia que se sentia uma celebridade. Aquela seria uma maratona para ser lembrada. Só o fato de saber que éramos participantes oficiais já fazia uma diferença fantástica. Correr lado a lado com todos aqueles outros atletas de elite, qualificados, era uma experiência e tanto. A fama recém-descoberta não atrapalhou nosso desempenho. Terminamos a Maratona de Boston em duas horas e cinquenta minutos e cinco segundos, o melhor tempo que já havíamos feito em Boston.

Não tínhamos apenas sido incluídos como também obtido sucesso. Não há sentimento melhor no mundo.

Naquele primeiro ano em que participamos de forma oficial, alcançamos outro objetivo – Rick se formou no ensino médio. Começamos a fazer planos para o próximo passo que era a faculdade e a independência. Meu garotinho tinha se tornado um jovem. Eu não podia estar mais impressionado com a forma como ele havia crescido e amadurecido. Meu primogênito tinha se tornado um jovem adulto. Ele também havia se tornado meu melhor amigo. Para todos os que conheciam nossa família, era óbvio perceber o quanto tínhamos percorrido. Era um momento especial nas nossas vidas e nos fazia refletir sobre tudo que tínhamos realizado desde o nascimento de Rick.

Também refletimos sobre os anos que haviam se passado e sobre nossa jornada para conquistar o direito de correr em nossa cidade natal. A nossa relação não tinha somente se fortalecido, mas também se transformado com a corrida. A Maratona de Boston teve um papel importante em tudo isso. Éramos maratonistas oficiais. O título nos acompanharia por muitos anos. Na verdade, para o aniversário de 100 anos da maratona em 1996, o organizador e patrocinador da corrida reconheceu Rick e a mim como Heróis Centenários eméritos. Foi incrível fazer parte de uma celebração e receber o reconhecimento de uma corrida na qual tínhamos investido tanto.

Mas em 1984, aquele reconhecimento ainda estava muito longe. Tínhamos mais corridas para participar, mais Maratonas de Boston para completar. Se havíamos realizado aquele feito, sabia que existiam aventuras maiores no mundo das corridas a serem exploradas por nós.

[CAPÍTULO 12]

Triatlos

Enquanto organizávamos a ida de Rick à faculdade – depois de muito debater, ele tinha se decidido pela Universidade de Boston, uma escolha adequada em razão das nossas vitórias em Boston – decidi me tornar triatleta. O desafio tinha surgido em outra corrida, um pouco antes da Maratona do Corpo de Fuzileiros Navais, em que havíamos conseguido o tempo de qualificação. Um amigo tinha feito a sugestão.

A corrida de dez quilômetros de Falmouth era uma das nossas prediletas e tentávamos participar todo ano. Era um passeio curto, comparado às maratonas para as quais treinávamos, mais ainda era bem divertida, além de ser um bom treino. Como era praticamente no quintal de onde morávamos na época, e como os pais de Judy ainda tinham uma casa em Cape Cod, parecia sempre como um retorno ao lar – uma espécie de reunião de família. Considerávamos Falmouth outra corrida de cidade natal, assim como a Maratona de Boston. Éramos sempre recebidos de braços abertos.

Em agosto de 1983, depois da corrida de Falmouth, os fãs começaram a se reunir ao nosso redor – Já ouvi falar de vocês dois – disse um atleta – Vocês são Dick e Rick Hoyt. Prazer em conhecê-los – o atleta era Dave McGillivray, que administra uma empresa de esportes na região de Boston. Ele se tornou um amigo para a vida toda. Também era triatleta e pioneiro no esporte na região nordeste. Nos cumprimentou pelo desempenho e disse – Dick, você tem cara de quem daria um ótimo triatleta. Você tem de tentar o triatlo – eu ri da sugestão dele e perguntei – Triatlo não inclui natação? – mas percebi que ele estava falando sério. Então disse que sim, que participaria do triatlo, mas só se Rick fosse comigo. Bem, aquilo encerrou a oferta. Dave olhou para Rick na cadeira e afastou-se.

Um ano inteiro se passou, e lá estávamos nós de volta à mesma corrida quando Dave voltou e disse: – Vamos, Dick. Você está em melhor forma agora. Você já dominou a maratona. Você tem de fazer triatlo – sem hesitar, dei a ele a mesma resposta do ano anterior. Para minha surpresa, ele disse que queria que a Equipe Hoyt participasse de um triatlo de resistência chamado Triatlo de Bay State, em Medford, Massachusetts. Sugeriu que procurasse quais tipos de equipamentos tinha de construir para que Rick pudesse competir junto, e ele faria aquilo acontecer.

Fiquei pasmo e animado diante da possibilidade de competir em um triatlo com meu filho.

Desde que havíamos conhecido Dave no ano anterior, Rick andava atrás de mim, pois aquilo era algo que queria fazer. Ele estava muito empolgado com a ideia. Nem nos importamos com as dificuldades óbvias de pensar em como seria colocar Rick em uma bicicleta e na água. Eu não andava de bicicleta desde os seis anos. Também não sabia nadar. Seria uma tarefa como jamais tínhamos tentado, mas Rick insistia. Na mesma hora, na nossa corrida anual de Falmouth, comprometi-me em participar do triatlo de Dave. Se ele conseguisse nos inscrever, eu garantia o restante. Se não tivesse sido por Dave, provavelmente jamais participaríamos de triatlos.

Disse a Dave que veria o que poderia fazer para equipar adequadamente a Equipe Hoyt para a corrida, que incluía também natação e bicicleta. Tínhamos cerca de nove meses para nos preparar. Para complicar ainda mais, eu estava no processo de mudança de emprego. A Força Aérea Nacional tinha me promovido e queria me transferir para Wellesley, uma cidade fora dos limites de Boston. Judy estava feliz em Westfield, Russ ainda estava no colegial, e eu estava tentando nos inserir em um esporte totalmente novo. Com a promoção e tudo mais acontecendo, comecei a pensar que, se quisesse participar de triatlos e participar direito, teria de aprender a nadar. Na minha mente, isso significava que teria de comprar uma casa perto de um lago, e foi exatamente isso o que fiz. Judy e eu sempre sonhamos em ter uma casa de frente para o lago. Como já estava pensando na possibilidade de me aposentar em alguns anos, convenci minha família que seria uma boa ideia. Encontramos um ótimo chalé em Holland, Massachusetts, rodeado por longas estradas montanhosas (perfeito para nosso treino de bicicleta) e bem em frente ao belo lago chamado Hamilton Reservoir (como se fosse uma piscina no meu quintal). A casa precisava de muito trabalho, mas eu gostava daquilo, já que trabalhava no ramo há anos. Já era tempo de ter uma chance de trabalhar na minha própria casa novamente. Tudo começou com a compra de uma casa no lago.

Participar de um triatlo não é a mesma coisa que correr uma maratona. Meus filhos me lembraram disso quando disse a eles que havia comprado uma casa no lago sem saber nadar. Nadar seria um desafio por si só. Rob, que havia participado de competições de natação no ensino médio, poderia dizer como era difícil, além de ser bem diferente de correr. Isso eu aprendi bem rápido.

Depois que nos mudamos, decidi tentar nadar no lago. Fui até a água, pulei, e na mesma hora afundei completamente. Foi um rude despertar. Tentei todo tipo de movimento combinando braços e pernas, mas simplesmente não conseguia fazer meus membros cooperarem. Não conseguia respirar e não entendia como prender a respiração, soltando o ar ao mesmo tempo em que me movimentava na água. Era tão diferente de colocar um pé na frente do outro. Sabia que aquele seria um desafio e tanto.

Rob fez o melhor que podia para me explicar os métodos respiratórios, mostrando-me como boiar e movimentar meus braços ao mesmo tempo. Durante todo o verão, pulei na água todos os dias. Toda vez, conseguia ir um pouco mais adiante e segurar o fôlego um pouco mais. Quando o reservatório de água ficou muito frio, comprei minha primeira roupa de mergulho. Quando o inverno chegou de verdade em Massachusetts, associei-me à ACM para nadar na piscina coberta.

Comecei a me sentir mais à vontade na água, mas ainda havia a questão de como traríamos Rick comigo. Sabia que teria de puxá-lo em algum tipo de transporte, e a única coisa que vinha à minha mente era um barco. Um dia, vi um dos meus vizinhos remando em um bote inflável pelo reservatório e sabia que minha pergunta tinha sido respondida. Seria mais leve do que qualquer barco ou canoa, e as laterais altas manteriam Rick seguro e seco. Depois que as pessoas ficaram sabendo que eu estava no mercado à procura de um bote inflável para rebocar meu filho em triatlos, um amigo do Yacht Club de Falmouth se ofereceu para doar um pequeno barco inflável de nove pés, novinho, na época manufaturado pela Boston Whaler. Era perfeito. Calculei que seria fácil prender uma fita entre meu corpo e o barco, e comecei a estudar as possibilidades de encontrar materiais para fazer as adaptações necessárias. Como já tinha feito tantas outras vezes quando precisava de acessórios de acampamento, procurei o almoxarifado da base

Acima, à esquerda:
Rick quando bebê, 1964.

Acima, à direita:
Rick em sua primeira cadeira de rodas, 1965
(Dick Hoyt)

Dick e Rick curtindo o mar em Cape Cod, 1964.
(Arline Garlington)

Rick com seus irmãos Russ (esquerda) e Rob (centro), 1971.
(Dick Hoyt)

Rick com seu TIC (Comunicador Interativo da Universidade de Tufts) na escola, com a colega de classe Wendy LaPlante e o irmão Russel.
(Dick Hoyt)

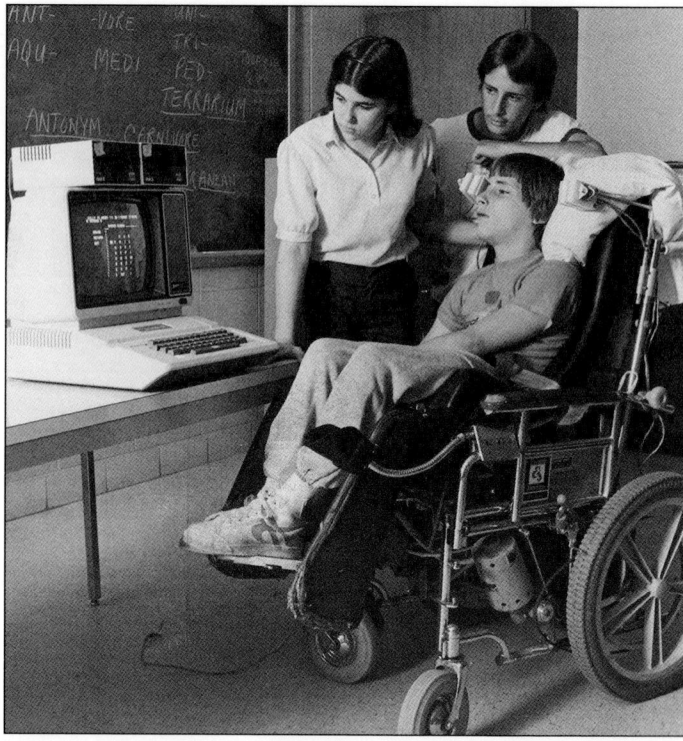

A Equipe Hoyt terminando a sua primeira Maratona de Boston, abril de 1981.
(R.S.H.)

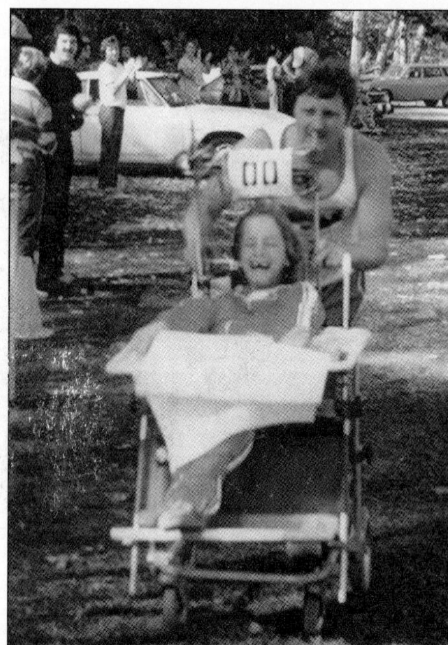

A primeira corrida da Equipe Hoyt, Westifield, Massachusetts, 1977.
(Pamela Sartori)

Maratona do Corpo de Fuzileiros Navais, Washington D.C., 1987. (R.S.H.)

Dia da formatura de Rick na Universidade de Boston, 1993. (Dick Hoyt).

Foto da família em Disney World, outubro de 2002.
Fileira de trás, da esquerda: Troy, Cameron, Dick, Rob, Jayme, Russell.
Fileira da frente, da esquerda: Rick, Ryan (no carrinho), Lisa.
(Bárbara Enos)

Aloha! A família no Havaí para competir no Ironman 2003.
Fileira de trás, da esquerda: Russel, Dick, Rob.
Rick na frente.
(Lisa Hoyt)

Rick, Dick e sua namorada, Kathy Boyer, participando do Desfile das Nações do Ironman, em Kona, Havaí, em outubro de 2005.
(Joe Widner).

Dick e Rick com os netos de Dick, Troy e Ryan num jantar no Easter Seals, em abril de 2006.
(Russel Hoyt)

Dick e Rick na etapa da bicicleta do Campeonato de Triatlo Mundial Ironman da Ford de 2007, em Clearwater, Flórida, em novembro de 2007. (Michael Guarino)

Guy Morse, da Associação Atlética de Boston e o diretor de corrida Dave McvGillivray segurando o banner para que Dick e Rick cruzem a linha de chegada na vigésima quinta Maratona de Boston da Equipe Hoyt, em abril de 2006.
(photorun. NET)

As primeiras palavras que Rick digitou em seu TIC foram “Vai Bruins!”. Em 2008, o mascote do Boston Bruins tirou uma foto com Rick. (Russel Hoyt).

Dick e Rick competindo em sua vigésima sétima Maratona de Boston com os colegas de corrida os aplaudindo, em abril de 2009. (Jennifer Kohn)

O jantar beneficente da Equipe Hoyt na Maratona de Boston, com o técnico Uta Pippig no centro da fileira do meio, em abril de 2009. (Bradley Ayres Photography)

A equipe Hoyt antes de começar o Triatlo de Marlborough Massachusetts, em julho de 2009. (Lynda Ruth).

Dick e seus nove irmãos no seu Jantar Anual de Família, em North Reading, Massachusetts, em julho de 2009. Na fileira de trás, da esquerda: Arline, Al, Bárbara, Philip, Kathy, Jason. Fileira da frente, da esquerda: Alice, Dick, Herbie, Ruth. (Patrícia Hoyt)

Outdoor da Equipe Hoyt representando a Fundação para uma Vida Melhor.
(Russ Dixon)

aérea. A solução? Velhas fitas de paraquedas que usei como correntes. A única coisa que estava faltando era ter certeza de que Rick ficaria confortável durante o percurso. Pensamos na possibilidade de revestir o piso do barco com madeira, mas isso faria com que o barco ficasse mais pesado e atrapalharia as manobras. Por fim, acabamos decidindo por uma almofada de sementes, feita à mão pela irmã de Judy, Nancy, na Califórnia.

A etapa da natação estava resolvida, então passei a pensar na bicicleta. Andar de bicicleta foi muito mais fácil do que nadar. De novo, entretanto, eu tinha de pensar em uma maneira que pudesse rebocar Rick ou empurrá-lo de forma segura. Encontrei um rapaz em Longmeadow, Massachusetts, que construía bicicletas e armações. Expliquei a ele sobre a bicicleta que pensava em projetar. Tive a ideia de puxar Rick atrás de mim, como um trailer, em uma cadeira que, com uma simples troca de rodas, pudesse adaptar-se à etapa da corrida rapidamente. Isso evitaria ter de mover Rick de uma cadeira para outra e economizaria tempo. O construtor de bicicletas gostou da minha ideia e disse que conseguiria fabricá-la, mas não seria barato. Uma bicicleta de corrida de 18 marchas e uma cadeira de corridas ficaria em torno de 4 mil dólares. E tínhamos que conseguir que médicos ortopedistas de Springfield nos ajudassem a projetar um assento adaptável a Rick, que o mantivesse seguro durante todo o percurso. Rick e eu ainda tínhamos de convencer a mãe dele de que aquele seria um bom investimento, mas como já tínhamos feito nossa inscrição para o triatlo, ela acabou cedendo e nos deixou fazer a coisa do nosso jeito.

A preparação final dos equipamentos para o nosso primeiro triatlo só ficou perfeita uma semana antes da competição. Isso significou que nosso primeiro treino no lago, com Rick no bote inflável, aconteceu alguns dias antes da verdadeira competição. Era o início do verão, e o lago estava cheio de barcos e esquis; as ondas que faziam me deixavam bem nervoso. Meu objetivo era dar uma volta por toda a extensão do lago, que eu achava que deveria ter por volta de um quilômetro e meio

– a distância que teríamos de nadar no triatlo. Judy e um dos meus irmãos, Philip, foram ajudar a colocar Rick no bote. Depois, foram nos acompanhando em um barco a motor para que, além de nos ver, pudessem também desviar os outros barcos.

Entramos na água e na mesma hora percebi que ia ser bem diferente do que o treino que havia feito sozinho pela manhã. Para começar, além de estar ventando, havia uma corrente bem forte. As ondas que os outros barcos faziam acarretavam uma resistência e tanto. Eu batia os braços e as pernas da melhor forma que conseguia, mas era difícil manter-me em linha reta. Levamos uma hora, e durante todo o percurso dava para ouvir Rick no barco, rindo. De vez em quando, olhava para trás para ver se a almofada o mantinha bem acomodado e a água não estava entrando no barco. E lá estava Rick – deitado, feliz da vida.

Rick nunca teve medo. Se ele pudesse pular de um avião, ele o faria. Ele sempre curtiu novas experiências. Na época, ele só tinha vinte e poucos anos – estava no auge da juventude. Como qualquer garoto da sua idade, estava atrás de aventura. Sempre tive mais medo por Rick e pela forma como ele lidaria com a corrida. O treino de natação tinha sido um sucesso, então ficamos tranquilos com a etapa da natação do triatlo que se aproximava. Ainda não tínhamos conseguido testar a nova bicicleta com Rick. O assento costumizado anda não tinha chegado. Seria entregue no sábado, um dia antes do triatlo, então não havia tempo para testes.

Qualquer noção preconcebida sobre o que era participar de um triatlo que pudesse ter, foi rapidamente por água abaixo assim que chegamos ao ponto de partida em Spot Pond para o Triatlo de Bay State, em Medford, no dia dos pais, em 1985. Foi uma celebração e tanto de dia dos pais, participar de um triatlo pela primeira vez. A maioria das pessoas, em sua primeira tentativa, faz uma versão curta do triatlo, que consiste de uma etapa de natação de 500 metros, 15 a 20 quilômetros de bicicleta e cinco quilômetros de corrida. O Triatlo de Bay State de Dave tinha um quilômetro e meio de natação, 60 quilômetros de bicicleta e

15 quilômetros de corrida. Sabíamos que os 15 quilômetros seriam a parte mais fácil. Era passar pela natação e pela bicicleta primeiro que me deixava preocupado. Não éramos atletas comuns que chegavam com a sua bicicleta e a roupa de mergulho Speedo já prontos para começar. Tínhamos muita preparação a fazer para ficarmos prontos. Tínhamos de inflar o bote e deixá-lo pronto, arrumar minha bicicleta, acoplando a cadeira de Rick nela, e depois converter a roda para que se transformasse em cadeira de corrida.

Achava que o primeiro triatlo seria experimental. Mas, assim que coloquei a roupa de mergulho e instalei Rick no bote, comecei a ficar excitado – um sentimento diferente do que tive ao corrermos nossa primeira maratona. Percebi que, apesar de ainda existirem pessoas olhando e até perguntando "Que diabos é isso?" era óbvio que a maioria das pessoas sabia quem éramos. Éramos a famosa Equipe Hoyt que tinha conquistado a Maratona de Boston. Dave anunciou à multidão, conforme os atletas se reuniam, que Rick e eu estávamos competindo em nosso primeiro triatlo, e esperava que os outros atletas nos ajudassem, caso fosse necessário. Aquele foi um baita apoio! Quando os outros atletas nos viram descarregando e arrumando o equipamento, sabiam que tencionávamos competir seriamente. As pessoas começaram a nos considerar membros de seu clube. Eu me senti um atleta de verdade.

Naquele dia quente, entrei na água fria do Spot Pond com Rick no bote, e perguntei-me como tinha me metido naquilo. Era uma loucura nadar por quase dois quilômetros rebocando um bote com meu filho adulto dentro, tendo acabado de aprender a nadar. Mas tudo o que tinha de fazer era olhar para Rick e ver como estava feliz. Sabia que tinha de dar o melhor de mim. O tiro de largada tinha sido dado e lá fomos nós. No começo, a água batia na gente por causa das braçadas dos outros nadadores. Estávamos bem no meio do agito. Tentei nadar por fora para evitar que os outros batessem no bote de Rick, todos tinham consciência disso, então não tivemos problemas. Depois da agitação inicial, a água ficou calma e marcamos nosso ritmo.

Era bem mais fácil do que nadar no reservatório em um dia agitado de embarcações. Em menos de uma hora, completamos a etapa da natação, mais rápido do que nosso treino e certamente mais rápido do que eu esperava. Depois que tirei minha roupa molhada e tirei Rick do bote inflável e do salva-vidas, vi que ele era todo sorrisos. Era uma arrancada de 20 metros de areia batida com meu filho adulto nos braços até nossa bicicleta não testada. Estava mais nervoso ainda com aquela etapa, mas honestamente, sabia que se tínhamos concluído a natação sem nadar cachorrinho ou virando o bote, o resto seria mamão com açúcar. Minha preocupação era o combinado de bicicleta e cadeira de corrida que ainda não havíamos conseguido testar.

O percurso era muito montanhoso. O vento batia forte no rosto. As condições para se pedalar 60 quilômetros, naquele mês de junho de calor intenso, não eram as melhores. Dava para sentir a cadeira rebocada balançando para frente e para trás, mas como estava a cerca de 20 metros de distância, era difícil ficar de olho em Rick e ter certeza de que não ia rolar. Quando consegui olhar para trás, vi como ele estava animado. Tive de imaginar como deveria ser excitante, sentir o vento bater em seu rosto com a velocidade da bicicleta. Nunca tínhamos conseguido atingir aquela velocidade ao correr, então sabia que ele estava adorando. Mesmo assim, com a bicicleta de certa forma precária e não testada, eu queria estar enganado quanto ao excesso de cautela. Mantive meu ritmo e confiei que os barulhos que Rick emitia significavam que tudo estava bem. As outras bicicletas passavam por nós e nos encorajavam, fazendo sinal de positivo com as mãos. Fiquei aliviado, contudo, ao chegarmos à etapa da corrida. Desconectei a cadeira da minha bicicleta e coloquei a roda na frente; por fim, coloquei os tênis de corrida e lá fomos nós. Aquela era nossa especialidade. Quinze quilômetros não eram nada, e fizemos em uma hora e cinco minutos.

Levamos quatro horas para completar o triatlo, mas terminamos. Assim como na nossa primeira corrida, chegamos quase em último, mas não fomos os últimos. Achei que foi uma boa apresentação, considerando as probabilidades contrárias. Dave estava lá no final para perguntar como achávamos que tínhamos ido. Brinquei que poderíamos ter ido mais rápido se Rick não tivesse tirado uma soneca. Na verdade, foi maravilhoso. A multidão e os outros corredores nos deram muito apoio. Scott Tinley, que ganhou o triatlo daquele ano, estabelecendo um novo recorde, veio nos cumprimentar. Só mais tarde descobri que tinha apertado as mãos de uma celebridade. Tinley tinha vencido o *Ironman* no Havaí.

Fui convidado a falar no microfone durante a cerimônia de premiação. Era a primeira vez que tinha a chance de publicamente dar crédito ao verdadeiro vencedor de todas as corridas da Equipe Hoyt: meu filho Rick. Se não tivesse sido por ele, provavelmente estaria pesando 150 quilos, sentado em algum bar. Era verdade. Eu sabia disso naquela época e sei disso agora. A outra verdade é que tínhamos amado nosso primeiro triatlo. Ficamos viciados. Loucos por triatlos, como eu costumava nos chamar, enquanto meu filho observava alegremente. Mal podíamos esperar pela próxima competição.

[CAPÍTULO 13]

Competições de *Ironman*[3]

Depois do nosso primeiro triatlo, Rick e eu nos tornamos loucos por triatlos, e participávamos de todos que a nossa agenda permitia. Em 1986, até desafiamos o irmão mais novo de Rick, Russ, a competir contra nós. Não nos surpreendeu quando vencemos dele, mas apenas por alguns minutos. Russ era definitivamente muito melhor nadador que eu, mas sabíamos que não havia competição quando se tratava de corrida. Rick e eu tínhamos encontrado uma boa estratégia de corrida, e atingimos tempos que estavam a meros minutos dos recordes mundiais. Russ era,

3 Homem de Ferro em inglês. (N. da T.)

literalmente, um peixe fora d'água, e nós éramos corredores veteranos e não deixávamos a desejar na bicicleta. Àquela altura, Rick e eu já éramos triatletas veteranos e nosso calendário estava cheio, era mais um ano repleto de corridas nos finais de semana. Foi nessa época que recebi um telefonema no meio da primavera. Do outro lado da linha estava Lynn Von Ert, a diretora de corridas do *Ironman*, do Canadá. Ela queria fazer uma proposta. Queria nos convidar para participar do evento no final de agosto.

Eu sabia muito pouco sobre a organização do *Ironman*. Todo mundo que compete em triatlos, tem esperanças de entrar no *Ironman*. É o que há de melhor em se tratando de competições. É também um evento de exibição para a maioria dos triatletas que competem seriamente. O *Ironman* do Canadá envolveria correr em um terreno desconhecido, em distâncias ainda maiores do que qualquer outro triatlo que tínhamos participado até o momento. Apesar de Rick e eu termos discutido sobre participarmos de competições maiores, não sabia se estávamos preparados para o *Ironman*. Não estava certo do que fazer com a proposta de Lynn "Você está de brincadeira comigo?" perguntei. Ela me disse que estava disposta a pagar as despesas para competirmos, e estava falando sério. Parecia uma oportunidade que não podíamos deixar escapar.

Inicialmente, Rick achou que eu estava fora de mim por ter aceitado. Talvez estivesse mesmo. Sabia que não seria fácil nadar quatro quilômetros, e percorrer 100 quilômetros de bicicleta, seguidos de um percurso de corrida semelhante a uma maratona, era quase inimaginável. Mas tínhamos uma nova bicicleta de dois assentos, graças à companhia de engenharia XRE. Nosso treino de natação estava excelente. Rick pensou na proposta. Eu pensei na proposta. Adivinhe a que conclusão chegamos? Antes de nos darmos conta, já era 31 de agosto e estávamos em Penticton, British Columbia, na costa do Lago Okanagan.

Apesar de não termos completado aquele *Ironman* dentro do tempo de corte limite de 17 horas, terminamos a prova, e mais uma vez, não fomos os últimos. Cruzamos a linha de chegada em meio ao som de uma fanfarra incrível, *Carruagens de Fogo*, ecoava pelos altofalantes. Champanhe era servido e várias pessoas que nos apoiavam estavam lá para ter certeza de que tínhamos conseguido. Era quase uma da manhã. A corrida não tinha sido nada fácil. Minhas pernas estavam quase desmoronando e Rick estava um pouco desidratado.

Só mais tarde descobri que o *Ironman* do Canadá é considerado uma das corridas mais difíceis do mundo. Sou daquele tipo de pessoa que prefere entrar na corrida meio que no tranco, lidando com os desafios conforme eles vão se apresentando durante o evento. Então raramente pesquiso uma corrida antes de participar. Entretanto, em Penticton, alguns jornalistas da revista *Parade* que estavam fazendo uma reportagem sobre nós, registrando nosso primeiro *Ironman*, tinham saído um dia antes da corrida para dar uma olhada no percurso. Quando voltaram, disseram: "Não tem como vocês completarem a etapa da bicicleta" sete horas antes de Rick e eu começarmos a competir. Eu nem dei bola para os jornalistas que pensavam que o trajeto seria difícil demais para nós. Já tínhamos enfrentado aquele tipo de ceticismo antes.

Com certeza, o *Ironman* do Canadá não seria fácil. A etapa da montanha da corrida, Richter Pass, tem as maiores inclinações pelas quais já pedalamos. Foi extremamente cansativo, mas conseguimos nos recuperar. Rick passou por todas as etapas com seu bom humor de sempre, usando um cabelo estilo moicano que havia dado um jeito de fazer um pouco antes da corrida. Brinquei dizendo que o cabelo espetado no alto da cabeça não estava alinhado.

Algumas semanas depois, a revista *People* publicou uma história sobre Rick e eu no Canadá. A reação foi inacreditável. Percebemos rapidamente que tínhamos um fã clube em expansão, formado por pessoas que não apenas reconheciam nosso empenho, como também mandavam cartas de admiração, apenas pelo fato de nos terem visto competindo. As pessoas envolvidas na comunidade das corridas por toda a parte percebiam o que estava acontecendo.

– E agora, Rick? Acha que podemos fazer algo mais difícil ainda? – perguntei ao meu filho quando voltamos aos Estados Unidos. O artigo da revista *People* tinha acabado de sair, e víamos a repercussão como apoio e encorajamento para continuarmos. Conforme o esperado, Rick sorriu e deu uma risada, satisfeito com a atenção positiva e pronto para a próxima aventura.

O *Ironman* do Canadá tinha sido um desafio e tanto, possivelmente o que havíamos feito de mais difícil. Mas não ficamos surpresos por ele ter apenas nos deixado ainda mais famintos de desafios. Concentrei meu pensamento no grande *Kahuna*: o *Ironman* do Havaí. É o campeonato mundial em que os melhores triatletas vêm de toda parte para competir. É o teste final para o corpo e para o coração. Apesar de haver milhares de triatlos pelo mundo, é esse que os atletas associam aos melhores do esporte. É a versão do *Super Bowl*, de Wimbledon, dos Campeonatos Mundiais, do Tour da França, do triatlo . . . acho que deu para entender. De acordo com panfletos informativos, milhares de triatletas se candidatam para conseguir uma das localizações do *Ironman* Mundial todo ano. Somente 1.800 conseguem se qualificar para o ponto de partida em Kona, Havaí.

O *Ironman* original é a corrida de resistência que mais castiga. As águas havaianas são quentes, então roupas de mergulho não são permitidas. Não existe a ajuda adicional da flutuabilidade da roupa. As montanhas em que acontece o ciclismo são bem íngremes e com frequência entrecortadas por fortes rajadas de vento. O percurso da maratona ocorre ao longo da costa da ilha, com ventos cruzados dos campos de lava batendo nas costas, tornando a corrida cheia de vapor.

Senti uma conexão especial com o *Ironman*, pois o evento começou na mesma época em que comecei a correr com Rick. Em 1977, começou como um desafio durante uma cerimônia de premiação de uma corrida de revezamento em Honolulu. Um grupo de atletas locais discutiu a ideia de começar um triatlo anual de resistência combinando os três maiores eventos já ocorridos na ilha – natação no mar, ciclismo no deserto de lava e uma maratona ao longo da costa da ilha. O comandante da marinha norte-americana, John Collins, sugeriu combiná-los e transformá-los em um evento de apenas um dia. Na cerimônia de premiação da corrida de revezamento, o comandante Collins anunciou o evento e prometeu o seguinte "Quem chegar primeiro será chamado de *Ironman*". O que o comandante Collins disse sobre o evento teve um significado especial para mim – ser *Ironman* tem a ver com concluir o que você começou. Você pode não terminar em primeiro ou ser tão rápido quanto à pessoa que terminou na sua frente, mas pelo menos você terminou. A mensagem tem sintonia perfeita com o pensamento da Equipe Hoyt. Tínhamos de participar daquela corrida.

Como qualquer competição de triatlo daquele porte, era preciso se qualificar para poder competir. Para fazer isso, é preciso vencer na categoria da sua faixa etária em qualquer outra competição de *Ironman*, ou seja vencer a loteria do *Ironman*, ou – em uma ocorrência mais inusitada – receber um convite especial. Rick e eu estávamos determinados a tentar. Então, durante o processo de inscrição, continuamos a participar de eventos da mesma proporção do *Ironman* como o Triatlo de Resistência de Hyannis. Em Hyannis, a etapa da natação era longa, a mais difícil de todos os triatlos para nós. Completamos em uma hora e cinquenta minutos, meia hora mais rápido do que havíamos feito no Canadá. Percorremos o trajeto de ciclismo em menos de oito horas, duas horas mais rápidos do que havíamos feito em Ritcher Pass. Nosso objetivo em Hyannis, que achávamos que faria com que o Havaí nos notasse, era de 12 horas. Terminamos em 13:45. Não foi tão rápido quanto eu gostaria, mas ainda assim foram quatro horas mais rápido do que nosso primeiro *Ironman* no ano anterior.

Em janeiro de 1988, depois de um ano de corrida que incluía um *Ironman,* meio *Ironman,* três distâncias olímpicas em triatlos, cinco maratonas (incluindo uma em Barbados), três meia-maratonas, e 15 corridas de rua de curta distância, escrevi uma carta aos oficiais do *Ironman* do Havaí para pedir permissão para competir no evento de 1988. Não havíamos vencido na nossa categoria etária em Hyannis, mas tinha esperanças que, com o nosso bom desempenho, ainda pudéssemos conseguir um convite especial do comitê do *Ironman* havaiano. Na minha carta, detalhei todo nosso histórico de corridas e nossa capacidade, e enfatizei nosso desempenho em Penticton e Hyannis. Salientei nossa experiência e paixão pelo esporte e o que poderíamos acrescentar ao evento internacional. Finalmente, escrevi como nos sentiríamos honrados em participar da corrida.

Estávamos nos preparando para a oitava Maratona de Boston consecutiva quando recebemos o retorno do Campeonato Mundial de *Ironman*: nossa inscrição havia sido rejeitada. Os oficiais estavam preocupados com a etapa de natação que poderia ser muito perigosa para nós. A resposta deles não me abalou. Já havíamos sido rejeitados antes, então não esperava conseguir nada com facilidade. Rapidamente escrevi de novo, enfatizando as medidas de segurança que sempre tomávamos quando estávamos na água, pontuando que já tínhamos nadado outras distâncias de triatlo antes, em tipos diferentes de água. Mantivemo-nos ativos participando de corridas da Califórnia a Massachusetts, e não demorou muito, o pessoal do *Ironman* havaiano respondeu minha carta. A resposta era a mesma. Eles sentiam muito, mas não podiam permitir nossa participação por questões de segurança.

Foi então que resolvi apelar para a artilharia pesada. Judy usou a influência que tinha no congresso desde a época de seu trabalho de implantação do Capítulo 766, para convencer o senador havaiano que nossa participação na competição proeminente traria boa publicidade ao seu estado. Ele concordou e entrou em contato com a representante do *Ironman* encarregada da nossa inscrição, Valerie Silk. Ao mesmo tempo,

Dave Mcgillivray, que tinha um relacionamento próximo com os membros do comitê do *Ironman*, intercedeu por nós também. Finalmente, e inacreditavelmente, Silk concordou. Fomos oficialmente convidados a participar do Campeonato Mundial de *Ironman* de 1988. Contudo, o convite veio com uma advertência. Silk reiterou que a corrida seria difícil e que provavelmente encontraríamos obstáculos físicos e mentais que jamais tínhamos enfrentado antes. Aquilo não ia nos fazer parar. Estávamos determinados a ir ao Havaí.

Por termos corrido em climas mais quentes e em terrenos íngremes antes, sabíamos que precisaríamos de um tempo extra para nos acostumar ao clima e nos ajustarmos ao ambiente tão diferente. Não é todo dia que nadamos contra a maré brava do mar, andamos de bicicleta no solo desmoronado de lava ou corremos pela pavimentação quente dos trópicos. A viagem em si já seria um desafio. Primeiro, tínhamos de dar um jeito de levar todo o nosso equipamento. Organizar e verificar as condições do bote inflável, da bicicleta e da cadeira de corrida para despachar no voo seria uma enorme provação. Sempre foi difícil para Rick viajar distâncias maiores. Ele ficaria bem desconfortável por muitas horas em um avião. Sempre que viajávamos juntos, eu ficava o tempo todo vendo se ele estava bem, pois seus músculos rígidos faziam com que escorregasse do assento, não importando o tipo de contenção utilizada em seu colo. Eu o erguia o tempo todo para fazê-lo sentar corretamente novamente. Com a diferença de fuso entre Massachusetts e o Havaí, Rick sairia completamente da rotina, desde o horário dos relaxantes musculares até os horários programados de ida ao banheiro. Seria uma experiência, mas tínhamos a sensação de que chegando ao Havaí e podendo competir em um evento tão respeitado faria valer a pena. E estávamos certos.

Viajamos dez dias antes de o evento acontecer. Como era nossa primeira vez no Havaí, fizemos turismo nos primeiros dias, passeando pelos pontos turísticos da ilha e se adaptando ao clima quente. A família toda nos acompanhou, incluindo os irmãos de Rick. Rob tinha se casado uns meses antes com sua namoradinha de infância, Mary Conners, e os dois se encontraram conosco no Havaí. Continuei minha programação rígida de treinamento, nadei no mar e andei de bicicleta quando os ventos havaianos estavam no ápice. Um dia, Rob e Russ foram nadar junto com Rick e eu. Completamos os quatro quilômetros juntos. Conforme o dia do evento foi se aproximando, todos na família estavam muito animados para ver nosso desempenho.

Durante a orientação, os representantes do *Ironman* salientaram a importância da hidratação. Eles também nos advertiram a não fazer mudanças de última hora em nossa rotina de treinamento habitual. A primeira parte eu entendi tudinho. Ah, se eu tivesse ouvido a segunda!

Quando a corrida começou, eu estava muito emocionado. Estar na água do mar às sete horas da manhã, cercado dos maiores triatletas do mundo, o sol nascendo, esperando nas ondas pelo disparo do tiro de canhão era incrivelmente excitante. Rick, deitado em sua poltrona no bote inflável, também estava adorando. Fiquei distante dos outros 2.000 participantes posicionando-nos no perímetro do grupo. O canhão disparou e lá fomos nós – uma massa de nadadores agitando o mar com suas braçadas. Tínhamos duas horas e quinze minutos para completar a etapa de natação sem nos desqualificarmos. Levamos menos de uma hora para chegar à metade do caminho. Eu estava me sentindo muito bem, mas meu estômago estava um pouco estranho. Logo depois, percebi por que.

Tinha cometido o erro crucial do qual os representantes da corrida tinham nos advertido. Tinha mudado a minha rotina de treinamento. Para todo lugar que ia, representantes de Gatorade davam amostras gratuitas do produto (Gatorade era o patrocinador do evento.) Nunca havia tomado Gatorade antes de uma corrida e, certamente, jamais tinha sido minha principal fonte de água. Mas por alguma razão, não parava de pensar na orientação de nos mantermos hidratados, então devo ter tomado quase quatro litros na noite anterior, juntamente com vários outros goles na manhã do evento.

Não sabia que esse fluido repositor deve ser tomado apenas durante ou depois do evento, nunca antes dele. O excesso de eletrólitos açucarados me abateu uma hora antes da natação.

Tive câimbras, algo que nunca tinha tido antes, e ao engolir água salgada do mar na tentativa de me manter flutuando, vomitei um fluido verde-azulado. Continuamos tentando nadar até o final do tempo limite. Então, a tripulação do bote salva-vidas viu que estávamos com problemas e nos rebocaram em segurança para a costa. Senti que tinha decepcionado a todos, incluindo a mim mesmo. Não podia mais dizer que havíamos terminado todas as corridas que havíamos começado. Quando chegamos à costa, senti vontade de pular no mar e voltar a nado para Massachusetts. Não fiquei surpreso quando minha família veio tirar um sarro de mim. Entretanto, a surpresa ocorreu quando, no dia seguinte, encontrei-me com Valerie Silk e a diretora de corrida do Mundial de *Ironman*, Debbie Baker, e elas nos encorajaram a tentar novamente no ano seguinte. Tinham absoluta confiança de que conseguiríamos. E conseguimos.

Durante todo o ano seguinte, treinei com mais afinco do que jamais tinha treinado antes, aumentando a quantidade de tempo despendida na água e na bicicleta. Tudo se encaixava perfeitamente no lugar. Conseguimos patrocinadores generosos – American Airlines e XRE – e o Hotel Konoloa no Havaí nos deu a estada. Tudo o que eu tinha de fazer era evitar problemas físicos (evitei todos os tipos de líquidos, com exceção de água antes da corrida).

O Campeonato Mundial de *Ironman* de 1989, em Kona foi uma corrida para ser lembrada. Naquela manhã, terminamos de nadar em uma hora e cinquenta e quatro minutos. As rajadas de vento das montanhas durante o ciclismo provaram ser um desafio. Mas tanto Rick quanto eu estávamos bem preparados, cobertos de filtro-solar e usando capacetes para o caso de queda. Terminamos a etapa em oito horas. A maratona foi extenuante. Nunca senti tanto calor ao correr. Mas que experiência incrível foi a aproximação da linha de chegada.

Com a multidão ao fundo, locutores anunciando nossa chegada, e minha adrenalina fluindo, foi um momento a ser verdadeiramente exaltado pelo que havíamos realizado.

Sabia que o crédito iria para o meu filho. Ele era a minha motivação. Acontece alguma coisa comigo quando estou competindo com Rick que nos faz ir mais rápido. A minha força vem dele, como se viesse do corpo dele para o meu. A força que recebi do meu filho naquele dia nos capacitou a nos tornarmos *Ironmen.*

A rede de televisão ABC cobriu o evento todo e fez um belo filme de mim e Rick durante o trajeto. Quando foi ao ar, a reação foi espetacular e emocionante. Em um determinado momento, um comentarista falou sobre mim e Rick cruzando a linha de chegada em meio à vibração ardente da multidão, colares havaianos jogados e lágrimas de familiares: "Há vinte e sete anos, a família Hoyt começou uma longa jornada que nos trouxe há esse dia e a esse momento. Pelo caminho, a família enfrentou a realidade de coração aberto. Pelo amor, transformaram uma vida de deprivação em uma vida de possibilidades."

Naquele momento, percebi que havia recebido um presente maravilhoso, não somente o presente da alegria que um filho dá a seu pai, quaisquer que sejam suas capacidades, como também a oportunidade de conscientização sobre as pessoas com deficiências, sobre o que é possível realizar simplesmente se você canalizar sua mente para isso. Nas palavras do diretor-fundador do *Ironman,* o comandante John Collins, terminamos o que começamos.

Os meses seguintes foram de mais entrevistas na TV, artigos de revistas e uma nomeação para Atleta do Ano, que o escritor Gerry Callahan, do *Boston Herald,* encorajou sua alteração para Atleta da Década. Fiquei emocionado e honrado. Era simplesmente grato pela oportunidade de competir com os melhores e concluir a prova. Depois de 1989, completamos mais uma vez o Campeonato Mundial de *Ironman* em Kona, no Havaí – em 1999. Nunca ninguém participou do *Ironman* como a Equipe Hoyt. Antes de nós, nunca havíamos tentado competir em equipe. Até hoje, nunca alguém foi rebocado durante a etapa de natação. Houve guias para os considerados legalmente deficientes visuais, mas os atletas cegos nadam, pedalam e correm sozinhos com um animal como guia. Rick e eu fomos únicos.

Quando meu aniversário de 50 anos chegou, eu sabia que ainda havia muito mais para nós dois. Havia muitas outras etapas em nosso futuro. O que mais, perguntei-me, poderíamos fazer Rick e eu, além de sermos *Ironmen*?

[CAPÍTULO 14]

Etapas Cumpridas

Assim que nos tornamos oficialmente *Ironman*, pensei, por que parar por aqui? Anos antes, já tinha ficado óbvio que era isso que devíamos fazer, e meu filho e eu embarcamos nessa aventura juntos. Estávamos dispostos a participar de qualquer desafio competitivo que se apresentasse. Tínhamos algo a provar. Eu era um homem de meia-idade, determinado a nunca desistir do meu filho primogênito. Rick, durante toda a sua vida, tinha enfrentado a adversidade que aqueles como nós, com sorte o suficiente por sermos fisicamente saudáveis, não conseguimos imaginar. Se nadar quatro quilômetros no mar, seguidos de quase 180 quilômetros de bicicleta (e uma maratona imediatamente após) não era suficiente para nós, nada seria.

Se tivéssemos tido o tempo e o treinamento adequados, escalaríamos o Monte Everest. Rick e eu tínhamos muita adrenalina e paixão para experimentar coisas novas.

Depois de correr por mais de dez anos, Rick não era considerado alguém empurrado por mim. Ele era uma estrela. Rick e eu víamos cada corrida – fosse ela 5 quilômetros, maratona ou triatlo – não como um obstáculo a ser superado, mas com um desafio excitante com potencial para nos deixar ainda mais próximos, apenas pelo fato de completarmos a prova. Com mais de uma década de corridas competitivas em nosso currículo, olhávamos ansiosamente para o que o futuro nos aguardava.

Os anos 1980 passaram voando. Sempre tendo em mente o *Ironman*, competimos em terreno conhecido, perto de casa, como sempre, participando de maratonas e triatlos por todo o nordeste do país. Em Washington D.C., fomos nomeados à Corte de Honra pelo Torneio de Campeões Vince Lombardi, onde encontramos pessoas famosas como Patrick Ewing, Bob Hop e Mike Dikta. Apertei as mãos de Bob Hop, e fiz uma brincadeira sobre jogarmos golfe. Rick e eu ganhamos o prêmio *Healthy American Fitness Leaders (HAFL)* e por isso visitamos lugares como Long Beach, na Califórnia, quando fomos para a cerimônia. Até participamos de várias competições de *Ironman*, incluindo o meio *Ironman* de Milwaukee, apesar dos oficiais terem vetado a etapa da natação devido a condições de perigo.

Nossas viagens nos levaram ao exterior quando, no meio de um inverno de Massachusetts, escapamos para águas mais quentes ao sermos convidados para correr em Barbados. Apesar do nosso primeiro Campeonato Mundial de *Ironman* não ter terminado da forma como esperávamos, voltamos mais fortes no ano seguinte, o que nos fez sentir como senhores da ilha. Fizemos o mesmo no Triatlo Nacional de El Salvador, quando o diretor da corrida nos premiou com duas medalhas de ouro e uma placa por termos terminado a corrida. Aquela corrida foi uma experiência cultural. Nossa recepção foi acolhedora, considerando a pobreza que vimos e como era óbvio que as pessoas da região tinham poucas razões para celebrar. Deixo a placa em destaque na minha casa para me fazer lembrar de nossas viagens e colocar as coisas em perspectiva caso sinta pena de mim alguma vez. Sei o quanto tenho sorte por ser capaz de fazer tudo que faço e por ter filhos que me amam e amigos que me respeitam.

Toda essa jornada me fez pensar. Estivemos em tantos lugares e visitamos estados e terras estrangeiras tão distantes de Massachusetts. Viajamos de avião por todo o país para participar de tantas corridas que comecei a perder a conta. Tinha de consultar meus arquivos para nomear todas. Tínhamos acumulado tantas milhas em vários estados diferentes. Por que não tornar o fato oficial atravessando o país em uma corrida? E por que não fazê-lo em nome das pessoas com deficiência para ajudar na conscientização?

Originalmente, meu grande plano era fazer uma espécie de mega-triatlo contínuo. Eu iria nadar, correr e pedalar pelo país – tendo Rick como parceiro. O problema, é claro, era que seria muito difícil estar perto de algum tipo de lago ou mar para concluirmos a etapa da natação diariamente. Mesmo assim, poderíamos correr e pedalar durante a viagem. Já fazíamos isso praticamente todo dia mesmo. Podíamos simplesmente aumentar o trajeto, percorrendo da costa oeste à costa leste. Parecia fácil demais, e no final das contas, era por uma causa maior do que por realização ou satisfação pessoal. Graças, em parte, à atenção nacional que recebemos por causa do *Ironman*, conseguimos estabelecer a Fundação Hoyt em 1992, uma organização de caridade com o objetivo de melhorar as vidas e a mobilidade das pessoas com deficiências. Uma Caminhada pela América nacionalmente documentada parecia a forma perfeita de inaugurar a fundação, começar a arrecadar mais fundos e conseguir mais apoio (em 2005, mudamos o nome da fundação para Fundação Hoyt, Inc., sem fins lucrativos).

Rick concordava comigo, animado com a possibilidade de uma corrida de rua pelos Estados Unidos. Ele estava quase concluindo o curso de educação especial na faculdade. Seu objetivo era espalhar a notícia de como as pessoas deficientes eram realmente capazes. Como ele disse em entrevistas, Rick nunca quis correr pelos Estados Unidos apenas para poder dizer que havia feito. O que queria fazer era chamar a atenção para a nossa organização. Ele também queria fazer algo que pessoas com deficiências não tinham feito antes, queria mostrar que tudo é possível. O trato estava feito.

Não importava o custo, faríamos a viagem juntos. Tivemos muito para planejar, negociar e conseguir patrocínio. Como não conseguimos o suficiente para cobrir o custo da viagem, Judy e eu decidimos refinanciar a nossa casa em 70 mil dólares. Parecia uma imprudência, mas quando eu colocava uma coisa na cabeça, tinha de ver acontecer, especialmente quando significava tanto para meu filho. Então, no verão de 1992, com Russ e Judy nos seguindo de carro, Rick e eu levamos um mês e meio para correr e andar de bicicleta por quase seis mil quilômetros atravessando o país, de Santa Mônica – para onde mais – Boston.

Foi uma viagem de família, apesar de ter sido a viagem familiar mais cansativa que já fiz. Russ também veio, o que foi uma sorte para nós, pois foi de muita ajuda. Rob tinha de trabalhar e cuidar da sua própria família, incluindo meu primeiro neto. Incrível é pouco para descrever a experiência. Em Los Angeles, pedalamos pelos edifícios incendiados durante o tumulto na primavera anterior por causa do julgamento de Rodney King. Fizemos bolhas nos pés no deserto de Nevada e vimos a neve cobrindo os topos das montanhas em Utah. Subimos o Rocky Mountains em apenas um dia e corremos em meio aos relâmpagos nas planícies de Nebraska, onde Rick recebeu o título de coronel honorário da Guarda Nacional. No feriado de Quatro de Julho, estávamos em Peru, Illinois, e aparecemos no programa *Wild World of Sports*. Em Washington D.C., no pé da escadaria do Lincoln Memorial e sem uma cadeira de rodas ou rampa à vista, Russ pegou Rick nos braços e o carregou até o topo do monumento; subiu tudo para ver a estátua do Presidente Lincoln bem de perto. Foi glorioso, um dos momentos de mais orgulho que tive ao ver meus filhos, dois jovens adultos. Quarenta e cinco dias e seis mil quilômetros depois voltamos para nossa bela cidade de Boston.

A aventura foi emocionante, mas com certeza houve alguns momentos assustadores no caminho. Os rádios que usávamos para nos comunicar não eram sempre confiáveis, e mais de uma vez, sem avistar o carro, peguei o caminho errado e me perdi por lugares desconhecidos. Eu não tinha um GPS para nos dizer aonde ir. Tínhamos de confiar em mapas e na intuição. Um dia, quando eu não estava prestando atenção suficiente no que meu corpo estava me dizendo, desmaiei com o calor e voltei a mim com Rick e a bicicleta tombados ao meu lado. Surpreendentemente, esse foi um dos muitos incidentes em que tivemos a sorte de escapar sem danos. Eu não havia previsto como as manhãs no deserto eram frias, e Rick mal conseguia comer com o corpo tão rígido por causa do frio. As altas atitudes tornavam a respiração difícil, nos forçando a fazer mais intervalos do que gostaríamos. As fortes chuvas de Maryland faziam com que os pneus aquaplanassem e que a bicicleta e qualquer coisa presa a ela pesassem muito mais. Rick caiu no chão uma vez e seu capacete rachou ao meio. Inacreditavelmente, não aconteceu nada conosco, somente uns ralados e um susto. Apesar de alguns percalços, mantivemos um bom ritmo. Quando finalmente chegamos a Boston, um pouquinho antes do previsto, em 23 de julho... ah, tinha valido a pena!

Tínhamos feito o percurso todo sem parar nenhum dia, algo que outros ciclistas ou corredores que conhecemos disseram que seria impossível. Eles nos disseram para tirar um dia ou dois de folga a cada semana durante o caminho, para nossos corpos descansarem. Disseram que estaríamos desgastados em 20 dias e não conseguiríamos terminar. Senti que poderíamos fazer a jornada toda em 45 dias sem tirar folga, porque a cada dia que pedalássemos ou corrêssemos, estaríamos mais fortes. Foi exatamente isso que aconteceu – 45 dias corridos.

Ao nos aproximarmos de Boston, havia uma recepção esperando por nós que ganhou de todas as outras recepções que havíamos participado. Ela fez com que todos os momentos de frio, as bolhas doloridas e juntas retorcidas que precisavam de massagem todas as noites, valessem a pena. Os fãs se amontoavam e a rede de TV ABC filmou nossa reta final até o porto. Uma grande faixa de boas-vindas nos acolhia em nossa adorada cidade. Raymond Flynn, o prefeito de Boston, e William Weld, o governador de Massachusetts, estavam lá, prontos para discursar. Foi anunciado que o dia seria chamado de Dia de Dick e Rick Hoyt. Rick recebeu a bandeira de Massachusetts de presente. Em meio a uma torcida animada, Rick e eu chegamos ao nosso destino final, o porto. Lá, como parte da nossa ideia de conscientizar sobre as deficiências e mostrar que tudo é possível, uni dois oceanos ao esvaziar no Oceano Atlântico uma garrafa de champanhe que havíamos enchido com água do Oceano Pacífico. No dia seguinte, o Boston Red Sox tinha um jogo que seria televisionado, e Rick e eu fomos convidados a falar por alguns minutos antes do início do jogo. Corremos do Marriot Long Wharf Píer até o Fenway Park e ao redor das bases antes do nosso discurso de quatro minutos para a multidão. Apesar de não termos nem chegado perto de atingir nossa marca de um milhão de dólares para a Fundação Hoyt, sabíamos que tínhamos feito algo bom. Tínhamos mostrado a nação, ao mundo – a qualquer um que estivesse nos assistindo ou que pudesse ouvir nossa história – que deficiência não tem que limitar.

Em casa, Rick, que durante toda a nossa viagem foi um parceiro bem-humorado, silencioso e tranquilo, finalmente esboçou uma reação sobre a nossa jornada. Ele teve tempo para refletir e comentar sobre nossa viagem, digitando seus pensamentos no TIC: "Estou surpreso com a beleza dos Estados Unidos, e estou surpreso com a beleza das pessoas que encontramos pelo país. Agora entendo o significado da música 'América is beautiful'. Tenho mais respeito pelas pessoas que atravessaram o país em busca de uma nova vida". Ele não poderia ter dito melhor. A etapa da caminhada pelo país é uma viagem que jamais vou me esquecer.

Na metade dos anos 1990, estávamos correndo de forma competitiva por quase 20 anos. Rick e eu tínhamos visto e feito mais coisas juntos do que qualquer pai e filho esperavam fazer. Tínhamos atravessado o deserto, nadado em oceanos, e apertado as mãos de presidentes. Tínhamos transformado um tetraplégico espasmódico e seu pai fora de forma em corredores, e depois maratonistas, triatletas e *Ironmen*. Camisetas de eventos enchiam nossas gavetas e cômodas. Tínhamos sido homenageados com prêmios e medalhas e chaves da cidade. Atravessamos os Estados Unidos e realizamos a corrida da vitória ao redor das bases do Fenway Park depois. Juntos, meu filho e eu tínhamos feito mais do que penso que alguém espere fazer.

Em 11 de outubro de 2008, fomos incluídos no Hall da Fama do Campeonato Mundial de *Ironman* da Ford de 2008, em Kona. Rick até mesmo subiu ao palco para fazer um discurso que havia preparado com a ajuda de seu computador. Ele falou sobre as etapas cumpridas no decorrer dos anos, terminando o discurso com uma pergunta que fez todo mundo rir e chorar: "Então, que tipo de vegetal eu sou?" Francamente, não dá para ficar melhor que isso.

Assim que Rick estava terminando seu discurso, um temporal havaiano veio do nada. Na hora que deram o último prêmio, estava chovendo, e enormes poças se formavam no chão. Alguém nos deu uns sacos de lixo para enrolar em volta de Rick e do TIC. Ficamos ensopados e tivemos que voltar ao hotel desviando das poças. Mas tínhamos acabado de entrar para o Hall da Fama, então estávamos sorrindo e rindo enquanto corríamos, recebendo apertos de mãos e parabenizações pelo caminho.

Em 2009, meu "vegetal" e eu completamos nossa milésima corrida, a Maratona de Boston. É claro que tínhamos planejado dessa forma, pois não víamos a hora de fazer de Boston a nossa milésima corrida.

Mas em 1993, com 100 corridas no currículo, havia uma coisa que Rick ainda tinha de terminar sozinho, um feito realizado por conta própria, talvez a maior etapa cumprida da sua vida. Meu filho mais velho, aquele que os médicos consideraram um vegetal, estava prestes a se formar na faculdade.

Caros Dick e Rick,

Em junho de 2006, vários bons amigos meus envolveram-se em um terrível acidente de carro. Muitos morreram e outros ficaram seriamente feridos. Um garoto de sete anos ficou paralisado da cintura para baixo e teve de amputar uma das pernas do joelho para baixo. Em um dia de julho, depois de visitar o garoto na reabilitação, ocorreu-me que ele jamais andaria novamente. Lá estava eu, tomando cerveja, desperdiçando minha vida. Algo tinha de mudar.

Naquele que de alguma forma foi o meu momento *Forrest Gump*, coloquei meus tênis de corrida e decidi que correria por nós dois, o garotinho e eu. Ele não podia correr então eu corri. Um quilômetro virou dois e dois viraram três. O garotinho dentro de mim me fazia continuar correndo até mesmo nos dias mais frios e nos dias em que podia inventar milhões de desculpas para não correr.

Conforme as semanas foram se passando, continuei aumentando a distância, fazendo uma média de dez quilômetros por dia em setembro. Um colega meu, que também era corredor, ficou sabendo da minha aventura e sugeriu que eu participasse de uma meia-maratona com ele em Toronto. Com uma leve apreensão, concordei e continuei treinando.

Dentro de uma semana, e com um tempo perfeito, recebi um vídeo através do e-mail de um amigo sobre uma equipe de pai e filho que estava realizando o impossível. Quando vi vocês dois cruzando a linha de chegada, Rick com o maior sorriso de todos, sabia que correr a meia-maratona seria só o começo para mim. Comecei a treinar mais. Sua história me deu mais motivação e confiança para completar a corrida. Sabia que se um pai podia levar seu filho a tantas maratonas e triatlos, eu podia correr míseros 20 quilômetros.

Mais perto da corrida, tive um estiramento na perna e comecei a fisioterapia ao mesmo tempo em que continuava a treinar para a maratona. Foi dolorido no começo, mas não parava de pensar em vocês dois e em como, às vezes, devia ser difícil para você Dick, que já chegou à marca de 40 quilômetros em suas maratonas, exigindo um esforço extra de seu corpo. Mas você continua, pois ama Rick e quer que ele fique feliz. Sabia que tinha de continuar pelo meu amiguinho.

Terminei a meia-maratona em 15 de outubro de 2006, em menos de duas horas! Foi verdadeiramente uma experiência única em minha vida, juntamente com os outros corredores. Mas eu sabia que podia fazer mais.

No domingo de 20 de maio de 2007, corri por você. Com a sua inspiração, realizei mais do que jamais sonhei e corri minha primeira maratona. Com grande apoio da família e dos amigos, consegui arrecadar 1.000 dólares para a Fundação Hoyt, Inc., e bati meu recorde pessoal em maratonas em quase 22 minutos, fazendo um tempo de 3:38:58. Corri pela Equipe Hoyt, corri pela fundação, e corri pelo meu amigo que jamais vai voltar a andar.

Mercy me – a canção de fundo no seu vídeo do *YouTube* – foi a minha canção de força durante a corrida. Essa música é simplesmente um lembrete do por que eu corro e do apoio que vocês dois dão um ao outro. Correr minha maratona foi uma experiência emocional. Não tinha nada a ver comigo fisicamente, mas tinha em mim a emoção que tinha por vocês dois e pelo garotinho de nove anos, paralítico. Tenho certeza que as pessoas me achavam louco. Ao ouvir a música *Mercy me* no meu Ipod, as lágrimas rolavam pelo meu rosto e imagens suas, de Rick e do meu amiguinho, não saíam da minha mente. Ninguém conhecia a minha história. Passei pelos outros corredores com a palavra *CAN* (posso) escrita em minhas costas, esquecendo-me de qualquer um que estivesse correndo naquele dia. Dois anos haviam se passado desde a minha primeira maratona, e ainda não tinha corrido tanto como naquela corrida.

Depois de completar aquela maratona, baixei uma cópia do seu vídeo no *YouTube*, no meu Blackberry, como motivação diária. Mostro seu vídeo a todos que passam por mim e precisam de inspiração. Puxo o assunto quando começo a falar sobre meus triatlos e corridas, ou até em uma reunião de negócios que considero apropriada. Sempre digo às pessoas que se quiserem encontrar uma história que realmente os inspire, devem conhecer a história da Equipe Hoyt.

A Equipe Hoyt inspirou-me não apenas para correr, mas na minha vida familiar também. Sou uma pessoa de sorte por ter filhos saudáveis, que correm e jogam bola, mas você Dick, dedicou a maior parte da sua vida a dar a Rick experiências que ele jamais teria oportunidade se não fosse por você. Muitos pais na sua situação temem o que pode acontecer com seus filhos se não tomarem cuidado, protegendo-os da realidade. Por sua causa, Rick tem uma vida repleta de amor e excitação. Apesar da minha situação não ser tão desafiadora quanto a sua, agora me esforço para ser o melhor pai para os meus filhos.

Com a Equipe Hoyt continuando a me inspirar, participei de vários triatlos de distância olímpica nos últimos anos, e acabei de me inscrever para o meu primeiro *Ironman* no ano que vem. Vocês me fizeram seguir caminhos que jamais imaginei percorrer dez anos atrás.

Obrigado,

David Chippi
Avon Lake, Ohio

[CAPÍTULO 15]

A Independência de Rick

Em 16 de maio de 1993, Rick e eu estávamos com as malas prontas para ir para Nickerson Field. O restante da família também – os irmãos de Rick, vários dos meus irmãos, Judy, e mais de cinco mil alunos participantes. Era um belo dia de primavera e a atmosfera era de muita ansiedade. Os jornalistas andavam para lá e para cá e as máquinas fotográficas emitiam seus *flashes*. A multidão agitada finalmente se aquietou quando um homem subiu no pequeno palco para fazer o discurso de boas-vindas no palanque. Não se tratava do início de uma nova corrida; era o final de uma. Nove anos de percurso, foi um desafio que Rick enfrentou e conquistou sozinho. Era a centésima vigésima cerimônia de colação de grau da

Universidade de Boston e meu filho mais velho receberia o diploma em educação especial.

Naquele dia, em 1993, aos 30 anos, Rick tornou-se o primeiro tetraplégico mudo a se formar na Escola de Educação da Universidade de Boston. Ele foi um dos primeiros alunos tetraplégicos, mudos a se formar em qualquer universidade. E ele se formou com média geral "B". Ele tinha realizado um grande feito sozinho, sem nenhum favor ou tratamento especial. Eu não poderia me sentir mais orgulhoso naquele dia. Foi de longe um dos melhores dias da minha vida.

Vários jornais e revistas cobriram a formatura dele, incluindo o *Boston Herald* e o *Boston Globe.* Até o programa de televisão *Hard Copy* estava presente no evento. Ficamos emocionados com as manchetes dos artigos que diziam "Formando-se para o sucesso", "Tenacidade é o seu modo de vida" e "Triunfo! Aluno especial da Universidade de Boston vai à maratona sozinho – e vence." Era o dia de Rick e ele o resumiu muito bem ao dizer a um jornalista: "não posso comparar as maratonas com a minha formatura. Sinto-me ótimo. Mais que ótimo. Eufórico!" e a euforia dele era contagiante. Levou muito tempo para concluir a graduação e se formar. Como dizemos na família Hoyt, não foi uma estrada fácil.

Apesar de parecer que a corrida tinha tomado conta da nossa vida, tínhamos muitas outras coisas acontecendo e estávamos cumprindo etapas a torto e direito – fora do mundo das corridas. No início dos anos 1990, tanto Rob quanto Russ haviam se casado, e começado suas famílias e carreiras. Judy tinha terminado a faculdade e eu ainda trabalhava para a Guarda Nacional. Não era fácil equilibrar uma vida tão agitada. E acabaríamos descobrindo, em primeira mão, que a vida agitada não era feita para qualquer um. Minha relação com Judy estava sofrendo o preço de Rick e eu sairmos para correr todo final de semana e passarmos todo nosso tempo livre treinando para as corridas.

Em meio a maratonas, triatlos e viagens para fora do país, com Rick entrando na vida adulta, era óbvio que as corridas eram importantes para a minha família, mas eles também tinham que se adaptar às nossas agendas cheias. Uma grande parte dessa agenda cheia incluía a ida de Rick à faculdade e uma vida independente, um grande desafio que poucos haviam previsto para ele. Eu sempre quis o melhor para Rick, não importava o que os especialistas nos diziam. Conforme os anos foram passando, estava feliz por ter provado que eles estavam errados. Era uma alegria ver meu filho adulto e participando da vida como qualquer outro jovem da sua idade.

Em 1984, quase uma década depois de ele ter sido admitido na escola pública, Rick se formou no ensino médio em Westfield. Foi um grande ano para ele. Era o nosso primeiro ano competindo de forma oficial na Maratona de Boston. Rick tinha um par para o baile de formatura. Tínhamos apertado a mão de superestrelas dos esportes e de políticos dignitários. Contudo, nenhum evento em 1984 foi tão importante quanto a sua formatura. Rick esforçou-se muito para terminar os estudos. Depois de toda a dificuldade que tivemos para que ele entrasse na escola pública, não podíamos estar mais felizes com o resultado. Todo mundo estava torcendo por Rick naquele dia. Quando disseram seu nome, ele foi ovacionado em pé. Foi um momento emocionante. Judy e eu, e o restante dos nossos amigos, estávamos muito felizes ao ver Rick ser empurrado em sua cadeira de rodas, ao som de *Pompa e Circunstância* para receber seu diploma das mãos do prefeito de Westfield.

Eu teria ficado orgulhoso se ele tivesse decidido terminar os estudos por aí, mas Rick não é do tipo que se contenta com pouco. Ele ia à universidade e não havia nada que o fizesse parar. Como qualquer outro aluno de ensino médio, ele tinha cabeça e vontade próprias. Chegamos até a conversar sobre suas opções de faculdade. Embora eu inicialmente o preferisse perto de casa, na Faculdade Estadual de Westfield, sabia que Rick estava pronto para a independência e liberdade. Então, não fiquei surpreso quando ele colocou a Universidade de Boston na cabeça. Judy tentou fazê-lo optar pela Universidade de Massachusetts, em Amherst, onde ela havia recebido seu diploma em educação especial, mas Rick estava determinado a se mudar para a cidade e matricular-se na universidade particular à beira do Charles River. A Universidade de Boston era uma ótima escolha, sempre entre as melhores do ranking da nação por conta de excelentes programas de terapia ocupacional e engenharia biomédica, áreas de estudo que, obviamente, tinham sido importantes durante o crescimento de Rick. Assim como sua mãe, seu coração estava decidido pela educação especial e ansiava por estar do outro lado do espectro para encontrar formas de ajudar as pessoas em situação semelhante à sua.

Depois que Judy e eu cedemos, havia só mais uma coisa impedindo o caminho do meu filho – o departamento do bem-estar social negou o recurso financeiro para os cuidadores pessoais. O Centro de Boston para a Vida Independente (BCIL) considerava, já que Rick não podia falar, ele não seria capaz de dizer ao cuidador quais eram as suas necessidades. Judy e eu sabíamos que estavam errados. Ele nos dizia o que fazer há anos! Então Rick e sua mãe foram diretos para o departamento do bem-estar social para apresentar seu caso – e ficaram lá até vencerem a audiência. Não permitiríamos que o direito à educação fosse negado ao nosso filho novamente. Por fim, Rick recebeu o mesmo auxílio financeiro para frequentar uma universidade particular que a Comissão de Reabilitação Estadual teria dado a ele caso tivesse escolhido uma universidade estadual. Graças a Deus, essa batalha foi bem mais fácil do que a que enfrentamos para colocá-lo na escola. Tudo o que foi preciso foi verem Rick falar por si mesmo. Ele fez uma demonstração com o TIC e, caso não fosse suficiente, explicaria o sistema de comunicação entre ele e seu irmão Russ. Estávamos dentro, ou melhor, Rick estava dentro – da Universidade de Boston. Com os cortes iminentes no orçamento que ameaçavam acabar com o benefício de cuidadores pessoais inteiramente, Judy passou mais tempo com os legisladores e levou o exemplo de Rick aos responsáveis pela implantação da lei aos deficientes, mostrando a eles o tipo de cuidados que os deficientes podiam receber. Ela explicou que a conta dos cuidadores pessoais no seguro saúde, que naquela época recebiam oito dólares por hora, era muito menor do que gastariam para manter Rick em uma instituição. Conseguir benefícios do seguro saúde nunca é fácil, mas tínhamos sorte por Rick ter conseguido cuidados tão bons no decorrer dos anos – importantes não apenas para sua independência, como para sua sobrevivência diária.

Felizmente para Rick, ele conseguiu os recursos para frequentar a faculdade de sua escolha. No outono de 1984, Judy, seus irmãos e eu fizemos as malas de Rick e o levamos para Boston. Ele era oficialmente um universitário. O retorno para casa em Westifield, depois de deixarmos Rick na faculdade, foi amargo. Trouxe à mente o longo percurso para casa, ao sairmos do consultório do especialista, depois que nos contou o que havia de errado com Rick. Só que dessa vez, estávamos cheios de esperança e expectativas. Todo bom pai se sente triste quando percebe que seu filho não precisa mais dele. Multiplique essa sensação por 20 para saber o que estávamos sentindo. Ao mesmo tempo, era mais do que eu jamais havia esperado que pudesse acontecer com meu filho.

Com a ajuda dos cuidadores, Rick viveu por contra própria, ficando em dormitórios como qualquer outro universitário. É claro, ele tinha de ter assistência quase que 24 horas – a maioria era composta de outros alunos – mas ele estava longe de casa e experimentando a vida adulta, sem que seus pais preocupados ficassem olhando por cima de seus ombros a cada minuto. Se ele teve saudades de casa, não demonstrou nada para nós. Rick adorava a faculdade, e todos pareciam adorar tê-lo por lá. Sempre que eu o visitava ou sempre que nos encontrávamos para correr, era óbvio que Rick era o grande homem do campus. Seus novos amigos sempre nos cumprimentavam quando competíamos. Alguns até se sentiram motivados a começar a praticar esportes.

Durante seu primeiro ano no dormitório, Rick morava no mesmo andar que o time de hóquei da universidade. Ele adorava isso, embora às vezes fosse bem turbulento, provavelmente porque *era* turbulento. Ele me contou como o time de hóquei pegou uma estátua de gelo "emprestada" e a escondeu no banheiro comunitário do dormitório. Estava no meio do inverno, então, para evitarem que ela derretesse, deixaram todas as janelas abertas para ver quanto tempo a estátua aguentaria manter sua forma. Rick gostou muito dessa travessura. As temperaturas congelantes não o incomodavam porque estava acostumado a suportar o tempo severo durante todas aquelas manhãs em que corríamos.

Uma vez Rick ficou preso no banheiro, só que era no banheiro das mulheres. Seu dormitório era misto, mas os homens e as mulheres ficavam em andares diferentes. Alguns dos rapazes aprontaram com Rick no meio da noite, tirando-o do saco de dormir e levando-o para o nono andar, deixando-o preso no banheiro feminino com a roupa de baixo. Se eu não o conhecesse bem, diria que Rick tinha arrumado um jeito de sair de lá sozinho. Ele é bem determinado quando quer alguma coisa.

Rick se deu muito bem com seus cuidadores, e alguns deles eram bem engraçados. Na maior parte do tempo foram maravilhosos. Recebemos recentemente uma carta de uma mulher, agora advogada em Nova York, que havia sido uma das cuidadoras de Rick em Boston. Ela brincou dizendo que quando ainda era menor de idade para bebidas alcoólicas, Rick conseguia fazer com que ela entrasse nos bares por ser sua cuidadora e eles tinham de deixá-la acompanhá-lo. Agora ela é advogada de pessoas com deficiências. Sua experiência com Rick a encorajou a ser o que é, ou seja, não uma advogada corporativa, mas uma profissional que representa aqueles que mais precisam.

Contudo, quando Rick estava na faculdade, era melhor não ficar sabendo das histórias que ouvia depois de ocorrerem. Reconheço que era pedir demais para que olhassem por meu filho, uma tarefa especialmente difícil para jovens adultos, mas o cuidado nem sempre era suave. Por exemplo, uma noite em que Rick estava no dormitório, o cuidador não apareceu. Então, Rick ficou sentado à noite toda sem tomar os remédios, sem jantar e sem ir ao banheiro. Só descobriram que ele estava lá, no dia seguinte, quando seu colega de quarto chegou depois de uma noitada. Rick não podia fazer nada em uma situação como aquela porque não pode falar nem pegar o telefone.

Ter certeza de que havia alguém com ele o tempo todo era uma das nossas maiores preocupações. A maioria dos cuidadores eram outros alunos da faculdade, fazendo apenas o que os universitários fazem. Saindo para beber, divertindo-se e esquecendo. Era de dar nos nervos não ter um membro da família por perto para dar uma olhada nele. Sempre falava aos cuidadores que, caso não fossem, que entrassem em contato com outro cuidador para ter certeza de que o turno não ficaria sem cobertura. Caso não conseguissem encontrar ninguém, tinham de ligar para mim. Eu costumava receber vários telefonemas. Fui várias vezes até a cidade. Não me importava. Aproveitava qualquer desculpa para poder visitar meu filho.

Em geral, as visitas não eram por nada importante. Rick sempre dizia, com aquele jeito de universitário de que sou-velho-demais-para-isso: “Estou bem, papai. O que você está fazendo aqui?” então, acabávamos saindo para jantar ou simplesmente colocando a conversa em dia. Dava-nos uma oportunidade de planejar as corridas que estavam por vir e de discutir como inseri-las na rotina escolar de Rick. Em razão da distância, não conseguíamos treinar juntos diariamente. Eu treinava na academia, corria, nadava e andava de bicicleta sozinho. Vamos ser honestos – aquelas visitas em Boston eram mais para beneficiar a mim do que a meu filho.

Contudo, uma situação assustadora me deixou pensando se a faculdade era uma boa ideia no final das contas. Como você já deve ter percebido, Rick é a vida de qualquer grupo. Ele é um rapaz engraçado para se estar por perto, um gozador inveterado. Se os cuidadores dele queriam ir a algum bar à noite, sempre levavam Rick com eles. Uma noite, ele estava do lado de fora de um bar com um dos seus cuidadores, cuidando da própria vida, quando alguém tentou atacá-lo. O cuidador foi derrubado com uma garrafada na cabeça e Rick foi jogado ao chão.

Acho que os garotos que fizeram isso provavelmente estavam bêbados, reconheceram Rick da Maratona de Boston e sentiram vontade de fazer mal a ele por alguma razão. Só fiquei sabendo o que tinha acontecido no dia seguinte, quando recebi um telefonema do nosso bom amigo, Eddie Burke, que morava em Waltham e também era uma das pessoas que poderiam chamadas em caso de emergência. Rick estava um pouco abalado, mas fisicamente bem. Felizmente, acho que essa foi à única vez que Rick achou que se machucaria. Para ele, o sacrifício – poder frequentar a faculdade e conviver com outros colegas da sua idade – valia o risco de correr qualquer perigo.

Rick estava ocupado curtindo a vida universitária, e não demorou muito para que ficassem sabendo que ele estava estudando na Universidade de Boston. Em um programa de TV que foi ao ar pela CBS *Evening News*, Meredith Vieira, nos entrevistou porque precisava ver para acreditar. Ela veio até nossa casa quando Rick estava de folga e viu como alimentávamos e cuidávamos dele, e então o acompanhou até Boston. Ela até foi aos bares em que Rick ia com seus amigos.

Vieira contou a história de Rick do seu ponto de vista, mostrando o esforço que era para ele ir às aulas todos os dias em busca de um diploma universitário. Por exemplo, ele precisava de seis vezes mais tempo de estudo do que os demais alunos. Isso significava que só conseguia fazer duas matérias por semestre. Mas isso não o impediu de continuar. Ele estava determinado a conseguir um diploma, sem nenhum favor especial. Ela perguntou a Rick "O que há de tão importante em uma vida independente?" Rick respondeu em seu computador: "se não puder viver de forma independente, então prefiro morrer". Isso nos pegou de surpresa. Mas creio que mostra a importância da independência para Rick e como estava sendo difícil mantê-la. Quando Vieira saiu, acho que ficou impressionada por tudo que Rick tinha realizado, por vê-lo viver seu sonho de frequentar a faculdade. Alguns anos depois, nos mandou uma generosa doação. Ela tinha um parente com uma deficiência semelhante, e identificou-se com a nossa história. Ficou espantada com o trabalho que ele estava fazendo, tanto na Universidade de Boston quanto com o restante da sua vida.

Entre a escola e os esportes, Rick estava vivendo a vida. Ele adorava ouvir música (entre seus prediletos estão AC/DC e Queen), participar dos eventos esportivos da universidade, e sair com os amigos para os lugares populares da região. Rick até fez parte da equipe de natação da universidade. Mas como muito alunos, as tentações da vida universitária quase comprometeram todo o seu trabalho. Rick não estava imune a pressão dos pares ou ao desejo de simplesmente desistir de todos os desafios que enfrentava diariamente. Ele admitiu, em entrevistas, que não levou a sério seus primeiros anos na universidade como talvez devesse ter levado. Havia diversão demais para ficar sozinho. Quem poderia culpá-lo?

Contudo, chega uma hora na vida de todo jovem que ele deve ser honesto consigo mesmo. Para Rick, a hora da verdade veio de forma totalmente inesperada. Ele veio me visitar em casa e disse: "papai, acho que sou alcoólatra". As pressões do álcool haviam mexido com ele, e com mais frequência do que esperava via-se em bares, bebendo demais. A bebida que escolhia? Rum com Coca-cola – e seus cuidadores e amigos viam-se forçados a concordar. Ele é um cara difícil de dizer não. A situação era a mesma que afeta a maioria das pessoas quando se tornam universitários. Mamãe e papai não estão por perto, são capazes de fazer o que querem, então em vez de estudar, vão para os bares beber. É claro que a mãe de Rick e eu ficamos chateados quando ele nos contou, mas Rick nos garantiu que diminuiria a bebida e as festas e começaria a se concentrar nos estudos. E foi o que fez. Felizmente, no nosso caso, nosso filho cuidou da situação sozinho e tudo ficou bem depois disso.

Na metade do percurso da experiência universitária, Rick entregou-se ao trabalho, ficou sério, e mudou-se para um dormitório silencioso para poder se concentrar nos estudos. Levou nove anos de trabalho duro da parte dele – Rick costumava brincar com os oficiais da universidade que, quando finalmente se formasse e a escola não recebesse mais a anuidade dele, todos ficariam arrasados. Para mim, pareceu um estalar de dedos, e de repente, havia mais um formando na família.

Antes da cerimônia de colação de grau da Universidade de Boston, Rick foi homenageado pelo presidente da universidade, John Silber, que falou sobre como ele tinha sido uma inspiração para os outros, como tinha desafiado a todos os tipos de alunos a reavaliarem suas habilidades e a tentarem dar o melhor de si. Ele falou especificamente sobre o trabalho que Rick havia investido em sua educação, como tinha passado por isso sozinho porque queria mostrar do que era capaz de fazer sem assistência especial. Finalmente, contou ao público que em breve teriam o prazer de dizer que Rick Hoyt havia se formado naquela universidade. Rick até teve a chance de falar com os colegas e agradecer a universidade, quando seu cuidador e amigo mais íntimo nos últimos anos de faculdade, Neil Danilowicz, o levou na cadeira de rodas ao palco e então pegou o microfone para fazer o discurso que Rick tinha escrito antes.

A formatura foi um sucesso totalmente merecido por um homem que a maioria dos médicos tinha dito que jamais viveria para ver esse dia, muito menos participar dela de forma tão integral. Era a vez de Rick brilhar. Era a realização de Rick, e um dos meus momentos de maior orgulho, que era tudo o que eu poderia desejar para ele. Como Rick inteligentemente disse a todos que quisessem ouvir, ele planejou usar seu tempo extra para "procurar por um emprego, um apartamento e uma esposa".

Depois que Rick se formou na faculdade, continuou vivendo por conta própria e começou a trabalhar na Universidade de Boston. Ele trabalhava com consultoria com engenheiros em um programa chamado Olhos de Águia, os ajudando a desenvolver um novo equipamento de comunicação expansiva para pessoas com deficiência.

Era um trabalho bem legal. Estavam basicamente tentando criar algo que rastreasse o movimento ocular, para que a pessoa pudesse usar os olhos ou o *mouse* do computador para se comunicar. Como ele sempre fez desde que era garotinho, estava ajudando os outros. Eu estava extremamente orgulhoso. Rick era um homem trabalhador, que vivia de forma independente.

Para alguém como Rick, contudo, todo dia pode ser repleto de vários perigos. Até os melhores cuidadores aprenderam isso. Uma das cuidadoras prediletas de Rick, Heather Omans, começou a trabalhar com ele depois que se formou na Universidade de Boston e passou a trabalhar na faculdade. Ela o estava colocando no carro para levá-lo ao trabalho um dia e ele já estava perto do topo do elevador, quando sem que ela percebesse, os breques da cadeira destravaram. Em vez de empurrá-lo para dentro do carro, ela o empurrou para fora – e para o chão a um metro abaixo. Ele caiu de cara no chão e quebrou o nariz. Felizmente, foi só isso que aconteceu, mas a coitada da Heather ficou muito assustada.

Depois, Heather me disse que quando o viu caído no chão, com o rosto cheio de sangue, ficou apavorada em como explicaria a mim que tinha matado meu filho. No hospital, disse a Rick que temia que ele tivesse sofrido alguma lesão cerebral por causa da queda. Rick, graças a Deus, estava bem – só um pouco zonzo. Preso ao seu TIC, já estava bem o suficiente para digitar: "está tudo bem. Eu já tenho uma lesão cerebral…". Eu ainda caio na risada quando penso na postura dele em relação à queda. Ele sempre tirava sarro de Heather por isso, até brincava que se ela pensasse em mudar de profissão, poderia pensar em ser coveira. Nenhum de nós a culpou. Como poderíamos? Eu mesmo tinha uma boa parcela de acidentes envolvendo Rick. Ele é um cara durão, e alguns arranhões e manchas roxas não vão desanimá-lo.

Contudo, houve uma vez em que Rick nos deu um susto com um incidente. Foi um milagre que tenha se safado. Desde a faculdade, Rick vivia de forma independente, com a ajuda de cuidadores, mas não tem alguém que passe a noite com ele. Ele dorme sozinho em seu apartamento. Para evitar escaras por dormir na mesma posição sem poder se movimentar, costumava dormir em um colchão d'água. Uma noite, não muito depois do incidente do nariz quebrado, houve um vazamento na cama, e lá estava ele, deitado, com o rosto virado para o colchão. Não havia ninguém para dar uma olhada nele durante a noite. Rick nos contou depois que percebeu o que estava acontecendo, que era bem provável que fosse se afogar na própria cama, pediu a Deus para salvá-lo. Logo depois, alguém bateu na porta, e entrou no apartamento. Era o homem da manutenção que estava de serviço naquela hora, e por alguma razão, decidiu usar a chave mestra para entrar. Foi extremamente incomum ele ter feito aquilo, mas quando estava do lado de fora do apartamento de Rick, teve uma sensação inexplicável de que havia alguma coisa errada por lá. Ele chegou bem a tempo de tirar Rick da cama encharcada em segurança.

A crença de Rick em Deus ficou mais forte naquele dia. Ele se aproximou de Heather, que era Mórmon, para aprender mais sobre a sua religião. Ela o apresentou a alguns missionários Mórmons, que conversaram com ele sobre sua fé. Um deles tinha um irmão deficiente, então se identificaram um com o outro. Rick nos disse que a doutrina que acabou levando-o à igreja foi a ideia de que quando você ressuscitar, seu corpo fica perfeito. Aquilo o atraiu. Em 1977, Rick foi batizado na fé Mórmon.

Apenas alguns anos antes, nossa família inteira testemunhou a etapa cumprida de Rick ao se formar na faculdade e iniciar uma vida adulta independente. Contudo, não permanecemos a mesma família unida por muito tempo. Um mês antes da formatura de Rick, um pouco antes da Maratona de Boston, Judy anunciou em uma carta à nossa família que não queria mais continuar casada comigo. Com certeza, foi um duro golpe, dado tudo o que havíamos passado com Rick – para então vermos nossos filhos se transformando em um sucesso, um universitário formado – mas, às vezes, a vida faz dessas coisas. Depois da formatura de Rick, Judy e eu passamos a viver vidas separadas. Pela primeira vez, comecei a pensar seriamente em como queria passar o resto da minha vida. Rick tinha se formado e estava trabalhando e morando sozinho. Era hora de fazer algumas mudanças na minha vida.

EQUIPE HOYT,

Meu filho tem três pôsteres, um de Muhammad Ali, um de Dick Butkus[4] e um da Equipe Hoyt. Kevin é um adolescente, de 15 anos, fanático por esportes que sofre de paralisia cerebral. Assim como Rick, devido a complicações durante o parto, as correntes de oxigênio e de sangue foram cortadas entre Kevin e sua mãe, fazendo com que nascesse sem batimento cardíaco e sem respiração. Kevin já percorreu um longo caminho desde então por causa da inspiração que você e Rick dão a ele, já ultrapassou barreiras que muitas pessoas acreditaram que jamais conseguisse.

Cinco anos atrás, minha família e eu compramos o seu livro, *It´s Only a Mountain.* Como Kevin era muito jovem, adorava esportes. Estávamos sempre correndo com ele no carrinho, e o envolvemos em uma série de esportes de cadeira de rodas, mas nada comparado às atividades do seu livro. Toda noite líamos um pouco e ficávamos cada vez mais entusiasmados por causa das coisas impressionantes que você e Rick realizaram. Sua história inspirou nossa família não apenas no sentido atlético, mas também houve alguns capítulos em que sentimos que já havíamos lido porque nos sentimos tão próximos de vocês. Há uma conexão herdada com vocês, pois nossa família cruzou muitas das mesmas pontes, algumas delas mais de uma vez. Você criou atalhos

4 **Richard Marvin "Dick" Butkus** (nasceu em 9 de dezembro de 1942) é um antigo jogador de futebol americano do Chicago Bears. Ele começou no time em 1965 e, também, é amplamente lembrado como um dos melhores e mais duráveis zagueiros de todos os tempos. (N. da T)

para muitos dos que lidam com desafios semelhantes aos que você lidou inicialmente.

Quando terminamos o último capítulo, lembrei de olhar para Kevin e dizer a ele que um dia encontraríamos com você e Rick. Três meses depois, o grupo de fisioterapia de Kevin estava angariando fundos e achei que o momento era perfeito. Quando sugeri que entrássemos em contato com vocês, jamais esperava obter uma resposta positiva. Depois que eu e Kevin pegamos você no aeroporto, sabíamos que havia uma ligação e que definitivamente nos veríamos outras vezes. Assim que falamos com você, nos demos tão bem que sentimos que nos conhecíamos. Depois de nos iniciarmos no mundo da corrida, chegamos a correr com a Equipe Hoyt em Virginia Beach para a meia-maratona de 2007. Kevin e eu temos esse desafio entre nós, que algum dia alcançaremos o ritmo de vocês durante uma corrida. Digo que teremos de esperar até você completar 95 anos, Dick. Estou só brincando, mas Kevin acha que estou falando sério.

Agora que Kevin está com quase 16 anos, está cada vez mais independente. Ele não quer o pai ajudando a fazer a coisas. O equipamento que usamos para correr juntos é, na verdade, uma bicicleta adaptada que posso empurrar como um carrinho, mas é Kevin quem pedala a bicicleta e move o guidão. Quando começamos a usá-la, ele mal conseguia tirá-la da garagem. Agora saímos para andar de bicicleta e se o percurso for plano ou uma descida, ele vai bem. Sempre acaba querendo guiar completamente sozinho.

Outro exemplo da independência de Kevin aconteceu quando ele competiu em várias corridas sozinho usando um andador. A primeira corrida de 5 quilômetros ele fez com o Achilles Track Club, quando muitas crianças com necessidades especiais e alguns atletas deficientes estavam presentes. Um atleta em particular lá estava, Scott Rigsby, o primeiro com uma dupla amputação a competir em um Triatlo *Ironman*. No final da corrida, a multidão caminhava a volta final com Kevin, torcendo por ele. Quando cruzou a linha de chegada, Mary Bryant, a diretora do

Achilles Track Club, estava esperando por ele para um prêmio especial e Rigsby deu a ele uma placa expressando a inspiração que havia recebido de Kevin.

No ano seguinte, o Achilles Track Club nos telefonou para convidar Kevin para correr oito quilômetros no Central Park. Ele completou o percurso em provavelmente duas horas e meia. O tempo todo eu o ajudava a visualizar você empurrando Rick no *Ironman*, puxando-o na água, completando mais de trinta Maratonas de Boston e durante toda a corrida falamos sobre isso. Não paramos de pensar em como seria mais difícil se estivéssemos competindo contra vocês. Kevin continuou em frente. Usamos você como motivação.

Quando terminamos os oito quilômetros, havia muitas lágrimas na multidão, incluindo as minhas. Só posso imaginar a empatia que vocês causam. Não creio que poderia compreender o calibre do impacto que vocês desencadeiam em uma família como a nossa.

Como Rick, Kevin planeja ir à faculdade quando terminar o ensino médio. O objetivo dele é frequentar a Georgia Tech para obter um diploma em engenharia e trabalhar em equipamentos que ajudem deficientes físicos. Não acho que você recebe o crédito que merece quando se trata do âmbito educacional. Sem a sua família, o sonho de Kevin não seria plausível.

Os dois mundos que vocês almejaram para a vida de Rick são uma ótima combinação. Sei que Kevin tem essa motivação, independente de realizar tudo o que Rick realizou, mas sem vocês dois não sei se teria sido capaz de conceituá-la. Ele acredita que é capaz de fazer qualquer coisa sozinho e não vai desistir de seu objetivo de participar de uma meia-maratona com você e Rick.

Obrigado por me inspirar diariamente,
RICH ENNERS,
ATLANTA, GEORGIA

[CAPÍTULO 16]

Minha Carreira Militar

Com o calendário apertado de Rick, certifiquei-me de maximizar o tempo que passávamos juntos. Continuamos correndo – não paramos desde 1975 – mas estávamos os dois ainda equilibrando nosso calendário de corridas com os empregos e outras obrigações. Judy saiu de casa e pediu o divórcio no final de 1993, então fiquei sozinho na casa do lago. Isso me deu muito tempo para pensar. Cercado por fotos da família, fitas e parafernálias, e as lembranças de todas as corridas que havíamos competido, às vezes era uma visão amarga. De certa forma, a evidência das nossas realizações era a prova do tempo que havíamos passado juntos em família. Não era somente Rick e eu durante todos esses anos. Tinha um forte sistema de apoio por detrás, e apesar das nossas diferenças que acabaram nos distanciando, minha futura ex-esposa fazia parte daquilo. Foi uma grande mudança para mim e muita coisa para me acostumar. A solidão me fez pensar em fazer mudanças em minha vida.

Em relação à corrida, continuei mais ocupado que nunca, treinando para as corridas de *Ironman*, maratonas e triatlos. Em 1994, até realizamos um sonho meu de longa data e fomos competir no Japão, não no *Ironman* do Japão, mas na segunda competição mais importante: o Triatlo de Tokunoshima. A ilha era linda, exatamente como sempre sonhei que o Japão seria, repleto de viçosos campos de arroz, o campo cheio de montanhas, edifícios antigos, e a água do mar clara como cristal que me fez lembrar de Kona e do *Ironman* havaiano. Para todo lugar que ia, as pessoas de Tokunoshima nos davam flores, e nos sentimos inacreditavelmente acolhidos em uma terra tão distante. Isso mais do que compensou a dor e o *jet lag*[5], e o desconforto da adaptação à dieta crua japonesa. Esta última causou alguns infelizes efeitos colaterais durante a corrida de bicicleta do triatlo. Mas me recuperei e cruzamos a linha de chegada – novamente, não em último lugar – para a recepção calorosa dos expectadores japoneses.

Quando voltamos para casa depois daquela aventura, refleti sobre aquela viagem única na vida, que tive a sorte de ter feito. Como sempre, foi muito bom voltar para casa, mas sentia que havia mais aventuras no horizonte. Minha família estava progredindo, em várias direções, iniciando novas carreiras e novas etapas próprias. Ocorreu-me que talvez deveria considerar o isolamento como uma oportunidade. Aos 53 anos, o tempo estava passando para mim, e sabia que, apesar do que Rick e eu tínhamos realizado no mundo das corridas e nos lugares maravilhosos que visitamos, ainda havia muito que podíamos fazer. Sabia que podia fazer todas essas coisas em nome do despertar a consciência para a deficiência.

---

5 Estado caracterizado por fatiga e irritação em consequência de mudança de fusos horários após voos muito longos. (N. da T.)

Queria ser capaz de concentrar minha energia nas corridas competitivas com meu filho – enquanto eu fosse fisicamente capaz. O ambiente estava mudando. As pessoas estavam começando a nos aceitar mais prontamente e pareciam interessadas em ouvir a nossa história. Parecia o tempo ideal para nos concentrarmos em melhorar a vida dos outros. Desde a nossa primeira corrida, Rick tinha uma noção de caridade – o tipo de mensagem que poderia passar aos outros que enfrentam debilitações ou contratempos. No começo, contudo, corri com meu filho por razões egoístas. Sabia que ele adorava, e me senti bem em fazer algo que trouxesse alegria a ele. Todos aqueles anos tinham sido um passatempo saudável, uma forma de passar os finais de semana e o tempo livre com meu filho. Até aquele momento, participava de corridas que conseguia encaixar na minha agenda. Eu ainda trabalhava em período integral na Força Aérea Nacional e respondia à base para cumprir minhas obrigações lá. Depois de um final de semana de corridas, sentia dores durante a semana no trabalho, mas a emoção de competir e saber o quanto Rick tinha curtido nosso tempo juntos valia o desconforto.

Sempre senti um pouco de culpa por não poder estar presente em todos os eventos da vida dos meus filhos, especialmente da de Rick, considerando os desafios adicionais que ele tinha de encarar de vez em quando. Ocasionalmente minha ausência era inevitável, é claro. Eu sabia disso. E sei que todos os pais enfrentam o mesmo dilema – como equilibrar a vida profissional com a vida familiar. Tinha de prover o sustento da minha família. Isso significava que às vezes ficaria ausente de alguns momentos importantes nos quais desejava presenciar. Correr, na hora exata de nossas vidas, naturalmente apresentou-se como um meio para compensar a Rick o tempo perdido.

Todos esses anos tenho corrido por meu filho. Minha promessa é que continuaria correndo, contanto que Rick quisesse. Mas ao chegar aos 50 anos e com a aposentadoria em vista, percebi que outra oportunidade se aproximava. Graças à atenção da mídia em corridas maiores e várias entrevistas de cunho nacional que demos no decorrer dos anos, as pessoas sabiam quem éramos. Com frequência, entravam em contato conosco para contar suas histórias. Em todas as cartas que recebíamos, ficava claro que tínhamos um público cativo que poderia nos ajudar a fazer a diferença para outras pessoas – quer fossem fisicamente saudáveis ou lutando com a deficiência.

A hora de me concentrar na Equipe Hoyt tinha chegado, para verdadeiramente compensar qualquer tempo que havia deixado de estar com Rick durante sua juventude, mas também para responder a um chamado maior. Sempre adorei um dia pesado de trabalho e ainda gosto, mas depois de anos de corrida competitiva com meu filho deficiente, tinha uma nova percepção de trabalho. Estava determinado a usar minha força pessoal e ética no trabalho não apenas para continuar correndo com meu filho, mas para conscientizar sobre as pessoas deficientes. Era hora de me aposentar do meu trabalho diário e me concentrar na atividade que tinha consumido meus finais de semana por quase 20 anos.

Sou o tipo de pessoa que olha para o futuro e que está sempre pronta para a próxima aventura. Mas quanto mais pensava na minha aposentadoria, mais percebia como a minha carreira militar tinha influenciado a minha vida como corredor. Pode ter sido uma experiência militar relativamente comum, mas preparou-me de várias formas para competir. Devido ao tempo que servi ao exército, sei que tive sorte de nunca ter participado de combates e jamais ter levado um tiro ou ficado ferido. Como no credo de qualquer militar da Guarda Nacional, estava pronto para a ativa a qualquer momento, mas suponho que tive sorte. Nunca fui chamado. Como qualquer outra pessoa alistada no exército, comecei lá de baixo. Fiquei de sentinela e de guarda por um bom tempo. Para progredir, fui para a escola realizar o treinamento básico e depois me alistei no exército. Depois de me formar em vários programas de treinamento, finalmente fui para a escola da área que escolhi: o programa de mísseis de defesa.

Isso aconteceu no começo, quando Rick era bem pequeno e nossas vidas agigantavam-se diante de nós. Foi com o programa de mísseis de defesa que aprendi a operar sistemas de radar, passando a maior parte do meu tempo de trabalho na costa leste, como operador de radar de defesa aérea. O míssil Nike foi aperfeiçoado para o míssil Hercules, e fui promovido também. Rapidamente, fui promovido a chefe de seção encarregado do sistema de radares. Depois, tornei-me oficial encarregado, responsável pelo controle dos lançamentos de mísseis na área de Lincoln, Massachusetts. Meu próximo cargo foi como oficial executivo, responsável pela área de controle de fogo. Fazia a escala da equipe, certificava-me de que eram qualificados para o trabalho que tinham de realizar, e comandava os treinamentos. Mal sabia que a mente militar centrada na dedicação ajudaria a me tornar um corredor comprometido.

Depois do meu período em Lincoln, Massachusetts, troquei a Guarda Nacional pela Força Aérea Nacional e me tornei oficial da segurança na Base Aérea de Otis, em Cape Cod. Era responsável pela força de segurança, que protegia os aviões da Base da Força Aérea. Foi nessa época que compramos a casa dos nossos sonhos, embora tenha sido um sonho vivido por pouco tempo. Quando o sistema de mísseis e o armazenamento de arsenal de mísseis foram considerados desnecessários e tornaram-se obsoletos, fui transferido para Westfield, Massachusetts, para o Barnes Airport, como administrador da base.

Depois de 35 anos na guarda, foi um decisão difícil a de finalmente me aposentar. A guarda havia se tornado uma extensão da minha família. Era tratado extremamente bem tanto por oficiais de maior escalão quanto pelos de menor que trabalhavam comigo. Por vários anos seguidos, a unidade coordenada por mim foi premiada como "unidade excepcional do ano", que divulgava tudo sobre os homens e mulheres que trabalhavam comigo, e mostrava o quanto eram capazes de executar suas obrigações como um grupo. Sinto que desempenhei bem meu trabalho e que as pessoas me respeitam pela minha ética profissional. Tudo isso, somado às minhas realizações na carreira militar, permitiram que me aposentasse da Força Aérea Nacional em 28 de julho de 1995. Depois de 35 anos de serviço militar, perguntava-me qual era o próximo passo.

Entre querer correr o máximo possível e despertar a consciência sobre o que pode ser realizado se a pessoa acreditar em si mesma, eu tinha algumas coisas em mente.

As pessoas há muito me diziam "Ah, você tem de escrever um livro. Seria tão inspirador!". Ouvi isso de vários espectadores durante as corridas, de colegas de trabalho e de familiares. Mas entre o meu trabalho na guarda e as corridas em todo o tempo livre, nunca tinha tido tempo de fato. Então me aposentei. Depois disso, sentei-me por seis meses e tentei escrever. Não parava de pensar: "se vai escrever um livro, chegou a hora", então dediquei meu tempo. O que queria não era tanto contar a todos sobre cada detalhe da nossa história pessoal, mas apresentar a história de Rick e a minha – usando a informação como uma caixa de ressonância para o nosso trabalho de conscientização para a deficiência. Estava determinado a usar meu tempo livre recém-adquirido pela aposentadoria em prol da comunidade. Tudo o que tinha de fazer era pensar na melhor metodologia para passar a seguinte mensagem ao maior número possível de pessoas – tudo é possível se você se compromete a fazê-lo. Então, em 2005, fizemos a burocracia necessária para dar à Fundação Hoyt o *status* de não-lucrativa. Começamos a angariar fundos e a receber doações, com as quais começamos a ajudar os acampamentos de verão da região para crianças deficientes, como também organizações de equitação terapêutica.

Caros Dick e Rick,

Quando você se torna pai, algo muda em você, algo o move. Alguns pais são movidos pelo medo. Medo do filho ficar doente ou infeliz. Para mim, fui movido pela absoluta necessidade de ser um tipo provedor. Queria que minha família tivesse o maior carro, morasse na casa mais bonita, e frequentasse as melhores escolas. Para tornar isso possível, senti que tinha de fazer alguns sacrifícios.

Depois de ter sido dispensado por razões médicas das Forças Armadas Britânicas, voltei para casa e me tornei bem-sucedido no mundo dos negócios. Dirigia uma empresa de grande porte e trabalhava sete dias por semana, 18 horas por dia. Completamente envolvido no mundo corporativo, só me comparava a outros no mesmo mundo. Em comparação a eles, estava me saindo muito bem, mas voltava para casa do trabalho e meu filho de seis meses não queria vir comigo. Ele não queria ficar perto de mim porque não sabia quem eu era. Sabia que havia algo errado, mas não sabia como mudar. Acho que estava preso a uma armadilha em que muito de nós nos vemos.

Como muitas das minhas viagens para os Estados Unidos, depois de um voo ficava acordado até três da manhã por causa do *jet lag*, assistindo ESPN. Mas dessa vez foi diferente. Em vez de assistir ao programa *SportsCenter* pela terceira vez naquele dia, assisti você e Rick correndo na televisão, cruzando a linha de chegada do *Ironman* havaiano de 1999. Era como se as luzes tivessem sido acesas. Lá estava eu pensando que estava fazendo a coisa certa. Viajando a trabalho, assinando contratos e tentando proporcionar uma vida financeira melhor aos meus dois filhos, enquanto o tempo todo, os dois estavam em casa pensando: "onde está o papai?".

Na semana seguinte, sai do avião em Nova York, telefonei para o meu advogado e vendi a minha empresa. Achava que estava fazendo a coisa certa trabalhando todas as horas que Deus havia me concedido, quando o que deveria fazer era ter certeza de passar tempo suficiente com meus filhos. Rick, se seu pai pode nadar quatro quilômetros puxando você em um bote atrás dele, pedalar 180 quilômetros em uma bicicleta adaptada para segurá-lo na frente e correr 40 quilômetros empurrando você em uma cadeira de corrida, por que eu não estava nem por perto para jogar bola no quintal com meus filhos? Com uma mudança total em meu estilo de vida, fiquei em casa o tempo todo com meus filhos, empurrando-os na bicicleta na rua, ajudando-os com a lição de casa, e fazendo da minha família a prioridade número um, com o trabalho no final da minha lista.

Vocês me inspiraram a começar meu próprio treinamento para o *Ironman* britânico de 2005. Amarrei o cadarço dos tênis e comecei. Na minha primeira tentativa, mal percorri cinco quilômetros e comecei a passar muito mal. Voltei para casa, sentindo-me completamente envergonhado pela minha incapacidade. Tinha uma longa estrada à minha frente, então comecei um treinamento de 18 meses. Meus dias eram perfeitos. Em vez de levantar cedo para trabalhar o dia todo e voltar para casa depois que meus filhos estivessem dormindo, eu acordava pela manhã, tomava café com meus filhos, os levava para a escola e treinava o resto do dia.

Tudo estava indo muito bem, até a noite de 21 de junho. Antes de sair para jantar com minha esposa para comemorar nosso aniversário, decidi dar um rápido passeio de bicicleta para me manter no ritmo. Não estava mais do que a três quilômetros de distância de casa quando um carro, a 100 quilômetros por hora veio do nada e bateu em mim. Minha bicicleta foi sugada para baixo do carro e voei para o parabrisas, por cima do teto, e acabei jogado na rua. Meus ferimentos foram intensos, mas consertáveis. Fraturei o cotovelo, a ulna e quatro lugares, dois dedos e estava todo roxo; tinha pontos pela perna toda e no ombro. Além de tudo isso, minha bicicleta estava destruída.

Sabia que ficaria bem, mas a ida ao hospital trouxe de volta a realidade que eu queria evitar. Lembro-me de ter perguntado ao cirurgião se poderia competir no *Ironman* em seis semanas. Ele riu. Depois de todo o trabalho dedicado, meu objetivo estava fora de alcance.

Depois de duas semanas repletas de mau humor da minha parte, um amigo que vinha treinando comigo veio com a inspiração que eu precisava. Ele sabia que você e Rick tinham sido minha motivação para as mudanças em minha vida e para o meu desejo de participar do *Ironman*, então ele encomendou uma cópia do *Ironman* havaiano de 1999 e trouxe para mim. Coloquei o DVD e me lembrei. Se vocês podiam fazer tudo aquilo com uma deficiência muito maior do que um braço quebrado, acho que eu também poderia. E foi isso que fiz.

No geral, a coisa mais difícil que tinha de fazer era comprar uma bicicleta nova. Tenho um metro e oitenta e oito de altura e ninguém na Europa tinha uma bicicleta adequada ao meu tamanho. Então, encomendei nos Estados Unidos, com a chance de tê-la perdido na alfândega. É claro que isso aconteceu, mas finalmente chegou um dia antes da minha partida para a corrida.

O próximo obstáculo era aprender a nadar com uma mão só. Pratiquei na piscina pública local e acabei nadando em círculos, perturbando as senhoras, dando socos na água até que finalmente consegui nadar o suficiente para competir. Naquela altura, correr era a última coisa que tinha tempo para me preocupar, pois só precisava adequar o tempo e a energia para correr oito ou dez quilômetros antes da corrida acontecer.

Quando fui para Sherborne, onde a corrida aconteceria, não estava preocupado. Nas semanas que se seguiram ao acidente, fiquei enganando a mim mesmo dizendo que não havia problema em fracassar por causa dos meus ferimentos. Não me importava de ir ao ponto de partida, pelo menos estava mostrando que estava dando o melhor de mim. Se falhasse, era porque meus membros estavam quebrados. Ninguém poderia exigir demais de mim. Estava sentindo muito pena de mim por causa de um braço quebrado, quando um senhor na minha frente, na fila de inscrição, olhou para trás e sorriu. Imediatamente percebi que ele só tinha um braço! Naquele momento, sabia que estava me enganando. Era como se alguém estivesse me mandando um sinal. Eu tinha um braço quebrado, mas ainda tinha o braço. Subitamente, não era mais uma desculpa, e a coisa ficou séria.

Assim que tirei o gesso e vesti a roupa de mergulho morrendo de dor, estava pronto para ir. O percurso de 3,8 quilômetros foi cômico, eu lutava para passar meus adversários ao mesmo tempo em que os empurrava do caminho. E a bicicleta estava indo bem até o meu ferimento abrir logo no começo. Só senti no final, mas completei o *Ironman* dando o melhor de mim.

Vocês dois foram minha inspiração durante toda a corrida. Quando sentia dor ou as coisas ficavam difíceis, pensava: “bem, a natação não foi tão mal, porque tudo o que tive de fazer foi nadar com uma mão só, Dick tem de nadar puxando Rick atrás dele. E o ciclismo não foi ruim, pois comprei a melhor bicicleta que existe e Dick pedala uma bicicleta que é um lixo absoluto, ainda com Rick sentado na frente pesando mais de 50 quilos". Forcei o máximo de mim, porque se vocês podem fazer, então por que eu não posso?

Dick, com 60 anos, dois meses após passar por uma cirurgia do coração, empurrando seu filho consigo, ainda ganha do meu tempo em uma hora e meia. Quando compartilho seu DVD e seu livro com outras pessoas, todos ficam com um sentimento de surpresa e inspiração, mas posso dizer a diferença entre aqueles que participaram do *Ironman* porque, no final, todos ficam sem palavras. Eles sabem que o que você faz beira o impossível. Fico feliz por agora poder apreciar de verdade o seu trabalho. Desde o meu *Ironman* de 2005, já participei de mais três, diminuindo meu tempo em uma hora e cinquenta minutos.

Com meu espírito competitivo e o coração empreendedor, não posso negar que comecei outros negócios nos últimos anos. A diferença é que minha família vem primeiro. Minhas empresas têm que se adaptar ao fato de que sou pai e não o contrário. Com a minha nova vida, consigo ficar perto de casa para jantar com a minha família todas as noites. Obrigado, Dick e Rick, por terem permitido que eu percebesse a importância da família.

É bizarro o fato de estarmos constantemente procurando por pessoas para admirarmos e chamarmos de heróis. Em geral, procuramos nos esportes de primeira classe e entre as celebridades, mas você pode encontrar duas pessoas normais de Boston e dizer "É essa pessoa que quero ser".

Dick e Rick quero ser como vocês.

Mike Charlton
Reino Unido

[CAPÍTULO 17]

Nossa Carreira como Palestrantes

Nosso lema pessoal, aquele que nos inspira há muito tempo, é "Sim, você pode". Você pode fazer tudo se canalizar sua mente para tal. Acho que as pessoas naturalmente entendem o significado quando nos veem correr, suando para a linha de chegada. Quando aumentamos nosso número de corridas, começamos a receber telefonemas de várias pessoas diferentes pedindo-me para falar sobre a nossa história. Os pedidos começaram a aparecer em 1981, logo após a nossa primeira Maratona de Boston. Naquela época, já existiam algumas matérias e publicidade sobre a Equipe Hoyt nas estações de TV local e nos jornais. Todos queriam saber do que se tratava a Equipe Hoyt – como havia começado, porque e o que estávamos fazendo, o tipo de curiosidade comum que nos rodeia. Pessoas desconhecidas ligavam-me em casa pedindo para que eu falasse em reuniões locais no Rotary Club, Lions Club, clubes de corrida locais, enfim, lugares desse tipo. Recebíamos telefonemas de escolas da região cujos diretores sabiam da história de Rick e de sua luta para conseguir se tornar não somente um atleta como também conseguir frequentar uma escola. De certa forma, era irônico o fato de estarem tão ansiosos para ouvi-lo, dadas as dificuldades que enfrentou para que os oficiais da educação permitissem seu ingresso na escola. Mas, como obviamente tudo se resolveu no final, estávamos felizes em poder compartilhar nossa história.

Não recebíamos cachê de palestrantes para esses primeiros compromissos. Não havia me ocorrido que as pessoas pagariam para me ouvir falar. Eu não trabalhava com palestras de motivação. As pessoas só queriam que eu fosse até elas para contar a história da Equipe Hoyt, o que me dava muita alegria em fazer. Podia contar a todos sobre a deficiência de Rick e como ele se sentia mais vivo quando participávamos das corridas. No início, Rick até escreveu seu próprio discurso quando estava no sexto ano e ainda testando seu TIC. Escreveu um maravilhoso discurso de 15 minutos que provavelmente levou 15 horas para ser digitado. A revista *People* publicou uma cópia, o que chamou a atenção de muitos.

Foi bem difícil começar a falar diante de grandes plateias, ou de qualquer tipo de público. Quando eu era aluno, era muito tímido e não gostava de ir para frente da classe ou responder algo que a professora perguntasse. Eu era inteligente e sabia as respostas, mas não gostava de levantar a mão ou participar voluntariamente. Quando tinha de participar de seminários na frente da classe, logo corava e ficava envergonhado. Nunca tive a desenvoltura que Rick tem. Pelo contrário, era tímido e preferia ficar nos bastidores, respondendo minhas perguntas em lições de casa e nos testes. Mesmo adulto, sinto um frio no estômago toda vez que estou na linha de partida de uma corrida, mas não sinto mais a mesma ansiedade quando subo em um palanque ou palco para fazer um discurso. Já escalei montanhas, mas falar em público era uma montanha que me assustava.

Ficar na frente do público, sabendo que as pessoas esperam que eu diga algo brilhante era assustador. Meu coração disparava, e eu pensava, por que estou tão nervoso? Nossa história é simplesmente uma narrativa de persistência. No final, foi isso que fiz para superar meu medo do palco; persisti. Se Rick pode fazer tudo o que faz, então eu posso ir até lá para dizer umas palavrinhas na frente de desconhecidos. Depois de falar algumas vezes, percebi a incrível oportunidade e como o público sempre era tão acolhedor. As pessoas nos abraçavam e, também, a nossa mensagem. A sociedade mudou muito, muito mesmo. Lembro-me do tempo em que Rick era bebezinho e não sabíamos o que havia de errado com ele; Judy ficava preocupada em tirá-lo de casa por temer o que os vizinhos pensariam ou diriam. Anos mais tarde, lá estava eu orgulhoso ao lado do meu filho em sua cadeira de rodas, em cima do palco durante um discurso, e as pessoas nos aplaudindo veementemente. Sabendo que passar a mensagem valia qualquer desconforto de falar em público, juntamente com a demonstração de amor e de apoio, o meu medo do palco diminuiu consideravelmente.

No começo, Rick não conseguia participar das palestras comigo, pois tinha a escola e as tarefas de casa para se ocupar. Mas, após algum tempo, ele conseguiu participar de algumas e adorou ficar comigo no palco. Ele é uma figura, e tem uma mensagem importante para passar para os outros. Quando o computador de Rick foi melhorado com um sintetizador de voz – o primeiro computador de Rick com sistema de voz foi o LightWriter, em 1986 – ele conseguia digitar o discurso e salvá-lo no computador para usá-lo durante o evento. As pessoas podiam ouvir seus pensamentos – suas próprias palavras – sobre como se sentia quando participava das corridas, que sempre foi o tema de maior poder nas apresentações que fazemos – ouvir Rick fazer sozinho.

Infelizmente, viajar de avião para participar de palestras está ficando cada vez mais difícil para Rick, pois conforme ele envelhece, os problemas de coluna vão piorando. Para ele, é difícil sentar por períodos longos, tornando a viagem extenuante, pois seu corpo se move e muda de lugar continuamente. A cada ano, esses movimentos parecem aumentar um pouco mais e, também, duram mais tempo. Rick não se sente nada à vontade quando viaja, e se o desconforto não puder ser controlado com hidroterapia, massagens na coluna, suspensórios, relaxantes musculares, ele deverá passar por uma cirurgia dentro de alguns anos como um último recurso.

Depois, tem a questão da cadeira de rodas (além da nossa cadeira de corrida, Rick tem uma cadeira de rodas comum e uma cadeira de viagem. As companhias aéreas sempre destroem a cadeira de viagem. Uma vez, ela caiu do avião e perdeu um braço, depois de ser jogada com o restante da bagagem. Da última vez, não conseguimos arrumar a cadeira de forma adequada, então faltam alguns parafusos, um braço, e algumas partes estão presas com fita adesiva. Não queremos colocar uma cadeira nova no avião para que seja destruída como essa, então sempre viajamos com a surrada versão original. Por ter sido remendada várias vezes, a cadeira também é muito desconfortável para Rick se sentar e não se ajusta ao seu corpo como deveria. Ele precisa ficar sentado de uma forma específica para conseguir controlar o botão da cabeça que ativa o TIC e se não estiver sentado corretamente, não consegue manejar o botão da maneira correta. Assim, em uma palestra, se a forma como está sentado o impede de controlar o botão, a apresentação é menos eficaz. Tudo isso força Rick a ficar em casa mais do que gostaria, pelo menos nas palestras que envolvem andar de avião. Ele viaja comigo se for a algum lugar em que o percurso de carro é possível, pois pode sentar na sua cadeira de rodas comum em seu próprio carro. Mas nos eventos em que é preciso voar, vou sozinho.

Nossas primeiras palestras remuneradas ocorreram em escolas públicas. Era a semana da conscientização para a deficiência – uma enorme vitória em si – e havia um fundo que patrocinava os palestrantes para falar com os alunos em um auditório. Rick e eu fomos à escola, fizemos uma breve apresentação, e a instituição nos deu um cheque de 40 ou 50 dólares para nos recompensar pelo tempo e pela viagem. Nunca fizemos propaganda de nossas palestras, mas o boca a boca e todas essas aparições na TV ajudaram a divulgar a nossa história. Antes que eu percebesse, oficiais de escolas locais e presidentes de empresas estavam me pedindo para falar aos seus funcionários. Inicialmente, não entendi muito bem. Fazia sentido se fôssemos chamados para falar na ACM ou no The Arc – uma organização que advoga pelos direitos das pessoas com deficiências intelectuais ou de desenvolvimento – mas grandes empresas que não tinham nada a ver com pessoas com deficiências? Foi então que percebi que estava relacionado com a mensagem que estávamos difundindo e não com uma identificação direta à deficiência de Rick. "Sim, você pode" ressoa em todas as pessoas, até as fisicamente saudáveis. Já falei para todos os tipos de organizações e empresas, da Procter & Gamble a Special Olympics, de programas de assistência ao doente terminal a faculdades, de Goodwill Industries ao Google, Inc[6]. A mensagem nunca muda, e mesmo assim o público é sempre receptivo em qualquer lugar que vamos.

Recebemos muitas cartas das pessoas que assistiram nossos eventos ou de empresas que patrocinaram o nosso deslocamento. Guardamos toda elas. O desejo do autor de nos agradecer de forma tão verdadeira, motiva-nos a continuar fazendo o que estamos fazendo. Por exemplo, depois de uma palestra no Café da Manhã Anual da

6 Procter & Gamble e Google, Inc. são multinacionais norte-americanas. Special Olympics é um programa internacional de treinamento esportivo. Goodwill Industries é uma organização sem fins lucrativos que insere pessoas com deficiências no mercado de trabalho. (N. da T.)

Criança Saudável da ACM de Middleboro, o CEO da ACM de Old Colony me escreveu para dizer que acompanhava a Equipe Hoyt há muitos anos. Tinha nos visto competir no triatlo anual da ACM em Old Colony, mas "foi somente após a nossa palestra que ele passou a entender inteiramente qual era a nossa missão na vida". O CEO continuou dizendo que, "notável seria uma frase muito simples para expressar o exemplo por mim dado por meio da minha postura com meu filho. O que esses esforços significaram, em nome dos deficientes, só podem ser comparados aos feitos dos líderes mundiais".

Kathy Boyer, minha namorada e gerente do meu escritório, recebeu um e-mail que nos emocionou de forma especial de um aluno da Faculdade Holy Cross em que eu havia ministrado um palestra:

> Um dos jovens que fez uma pergunta no final da palestra era um aluno autista que frequenta a faculdade. No dia seguinte o vi no campus repetindo "Sim, nós podemos" para si mesmo. Por mais que a palestra tenha me afetado, fiquei estupefato ao ver o efeito causado naquele jovem. Duvido que (o aluno) mandará um e-mail, mas queria muito reiterar o efeito que ver Dick falar causou em mim e no restante dos alunos na plateia.

Quando voltei da Califórnia, após uma palestra especial para um programa de assistência ao doente terminal, o diretor logo em seguida me escreveu para agradecer:

> Hoje faz exatamente uma semana que você veio a Bakersfield como convidado especial da Clínica Hoffman para a décima quinta arrecadação de fundos anual do grupo Vozes da Inspiração. Não consigo encontrar palavras que expressem o impacto que você causou – e ainda causa – em cada um de nós em razão da sua palestra sobre a Equipe

> Hoyt. Sua dedicação a Rick – dando a ele tantas oportunidades de qualidade de vida apesar da deficiência – reflete de perto nossa missão aos pacientes em estado terminal e seus familiares de nossa comunidade. Foi uma bênção em absoluto você ter concordado em nos visitar na costa oeste para compartilhar conosco a sua história.

Como não se emocionar com tamanha generosidade, de pessoas entrando em contato conosco para que saibamos que fizemos diferença em suas vidas? É por essa razão que fazemos as palestras. No decorrer dos anos, fazemos cada vez mais palestras. Por meio delas, não apenas sinto satisfação pessoal por estar usando a minha história para motivar os outros, mas também por sermos capazes de ajudar a arrecadar fundos para causas em que acreditamos, incluindo a conscientização em relação à deficiência.

Como a ACM tem programas especiais para crianças deficientes, sempre sentimos uma especial atração por ela. Uma vez, fui convidado para falar em um acampamento da ACM durante um evento de café da manhã. Acabamos angariando 15 mil dólares para a organização. Desafiei a todos os presentes a fazer o que pudessem para conseguir mais. Quando o evento acabou, a ACM disse que foi a maior quantia em dinheiro que tinha conseguido arrecadar durante um evento de apenas um dia. Comparado com o que empresas de grande porte faturam por dia – e o custo de se administrar uma organização como a ACM, com tudo o que oferecem – não era tanto assim. Mas era direcionado à comunidade, com o pessoal da região ajudando a levantar um fundo adicional. Eles sentiram que Rick e eu causamos impactos, e ficaram muito agradecidos.

Sempre demos muito apoio ao Easter Seals, e nos unimos a eles em uma Campanha da Equipe Hoyt para o Easter Seals. Quando criança, Rick participava dos acampamentos de verão do Easter Seals e do programa de natação. Eles fizeram tanto por nossa família no decorrer dos anos, nada mais justo retribuirmos um pouco a eles. Nossa maior retribuição ao Easter Seals ocorreu em 2006, quando dedicamos nossa vigésima quinta participação na Maratona de Boston ao Easter Seals e fizemos uma parceria com a filial de Massachusetts por um ano todo, a fim de arrecadar uma quantia em dinheiro suficiente para sustentá-los por vários anos. Foi o maior sucesso, e arrecadamos 360 mil dólares para os programas da organização por meio de um torneio de golfe, rifas e leilões, venda de camisetas e jantares beneficentes. Kirk Joslin, o presidente e CEO do Easter Seals, de Massachusetts, ficou emocionado e disse que a quantia excedia qualquer uma que tivessem imaginado.

Outra escola para darmos nosso apoio foi o Children's Hospital Boston, por causa da sua influência na vida de Rick. Ao mesmo tempo em que muitas pessoas sabem das fantásticas realizações atléticas do meu filho, muitas provavelmente não sabem da nossa antiga relação com Children's Hospital, cujo programa de Comunicação Expansiva o ajuda a se comunicar por 25 anos, desde o desenvolvimento inicial do TIC pelos engenheiros de Tufts.

Para agradecê-los, em 2009, dedicamos nossa vigésima sétima participação na Maratona de Boston (e milésima corrida) ao hospital e ao Programa de Comunicação Expansiva. Rick gravou um clipe promocional para o hospital, usando seu sintetizador de voz que diz "Se todos que veem papai eu fazermos nossa história pudessem doar um dólar ao Programa de Comunicação Expansiva, seria uma enorme expansão na qualidade de vida das pessoas que não falam". Rick e eu usamos a Fundação Hoyt para doar 25 mil dólares como pontapé inicial à campanha e encorajar as demais pessoas a doarem o que pudessem. Novamente, são coisas como esta – em que todos se unem para criar algo grandioso – que fazem com que Rick e eu continuemos e queiramos cada vez mais.

De repente, por volta de 2005, a demanda ficou tão alta. Nosso impacto nos outros tinha se transformado em estimular as pessoas pelas ruas e em inspirá-los durante o jantar. Entre os treinamentos para as corridas e os triatlos durante a semana, participar das corridas nos finais de semana, e viajar de avião por aí para dar palestras durante eventos empresariais, a vida estava bem agitada. Falar sobre a nossa história é de extrema importância. Sinto que podemos realmente fazer a diferença e que qualquer um pode canalizar seus pensamentos para isso. Seria prestar um desserviço a Rick se não levássemos nossa história adiante.

Atualmente, sinto-me muito mais relaxado para falar em público. Pode ser um pequeno grupo de 20 pessoas, ou uma multidão de 2.500 – o tamanho do público não me importa mais. Assim que subo no palco e começo a contar nossa história, sinto-me bem. O que torna isso possível é a forma acolhedora como sou recebido pelos grupos. É como estar em meio à minha família.

A maioria das pessoas que peço para voltarem a ter contato comigo dizem que não acreditam que se relacionar comigo seja tão fácil e realista. Acho que me veem como o atleta durão, um gigante na tela da TV que empurra seu filho em todas essas corridas. Antes de um evento, quando os representantes de uma organização vão me buscar no aeroporto, acho que esperam que um homem de um metro e oitenta, musculoso saia do avião. Então, eu apareço com um metro e setenta e dois e sempre dizem como pareço bem mais baixo pessoalmente. Kathy avisa as pessoas para procurar "um senhor de idade, baixo, vestindo roupas de ginástica." Costumo brincar, dizendo que as aparências enganam. Rick pode certamente confirmar isso.

Nossa história e nossa mensagem são simples. Apesar das tecnologias terem se aperfeiçoado, e posso ilustrar minha palestra com uma apresentação no PowerPoint ou com DVDs, meu discurso geral permanece o mesmo no decorrer dos anos. No início das minhas palestras peço que as pessoas se lembrem de três palavrinhas: "Sim, você pode." Então, conto a história da Equipe Hoyt e como, por décadas, as pessoas vêm dizendo para mim e Rick "Não, vocês não podem". As imagens nos curtos clipes dos DVDs que mostramos, para quebrar um pouco o discursos, são todas de Rick contando sua história com o auxílio do computador. Mesmo quando Rick não consegue estar presente fisicamente, os membros da plateia conseguem sentir sua presença no palco. Quando ele abre aquele sorriso só dele, dá para ouvir sua risada, que tem um poder especial. Toda vez, isso ainda mexe comigo.

Meu objetivo final nesses eventos é compartilhar meu compromisso para a vida toda para mudar atitudes e educar os outros em relação às deficiências. Temos observado o impacto dessa nova postura graças aos nossos esforços. A melhor parte de qualquer palestra é a socialização com os grupos depois que falo. Um número surpreendente de pessoas, mesmo quando falo para grupos de CEOs de alguma grande corporação, já participou de corridas ou triatlos. Outros têm algum membro na família ou amigo íntimo em uma cadeira de rodas ou conhece alguma pessoa deficiente. Executivos aproximam-se de mim depois de uma palestra para dizer que, por causa da nossa história, empenharam-se para tentar participar de corridas e triatlos – que os motivei a fazer o mesmo em suas vidas. Há um aspecto em comum que une todas as plateias com que falo – todas as pessoas querem contar suas próprias histórias e me dizer como nossa história pôde ajudá-los a superar os obstáculos em suas vidas.

Em uma palestra, uma moça veio me dizer que havia uma mulher trabalhando com ela no escritório que precisava usar cadeira de rodas. Ela não trabalhava diretamente com a mulher, mas a via passar todos os dias, a cumprimentava e sorria ao vê-la passar. Poderia ter conversado mais com ela, mas sentia que não tinham nada em comum, pois ela podia andar e se movimentar e a mulher estava em uma cadeira de rodas. Então, disse a jovem, alguém mandou para ela um e-mail com um dos vídeos do *YouTube* sobre as nossas corridas e a matéria que a *Sports Illustrated* havia feito sobre mim e Rick. Logo ela percebeu que apesar de Rick estar em uma cadeira de rodas, tinha uma mente forte e um gosto pela vida. Era alguém que ela queria conhecer. Assim, passou a entender que sua colega de trabalho também era uma pessoa – alguém que ela havia menosprezado apenas pelo fato de estar em uma cadeira de rodas. A jovem começou a conversar com ela durante os intervalos e no almoço, e percebeu que tinham muito em comum. Gostavam do mesmo tipo de música e saboreavam o mesmo tipo de comida. Começaram a sair juntas depois do trabalho e hoje são boas amigas. A jovem continuou dizendo que se não tivesse conhecido a história de Rick, jamais tentaria fazer contato com a mulher do escritório, e as duas teriam perdido uma grande amizade.

Todas essas histórias surpreendentes causaram um impacto em nós. Muitas pessoas choram, o que também me deixa engasgado. É muito emocionante para mim quando dizem o quanto eu e Rick afetamos suas vidas. As pessoas dizem que ficaram sabendo das palestras pelo nosso website, por terem agendado o evento, ou pelo jornal local, e viajaram de carro com a família por muitas horas só para ouvir a nossa história. Eles me contam como suas vidas mudaram depois de nos ouvirem. Eles se tornaram pais melhores, perderam peso, abandonaram o álcool, as drogas, ou o fumo; ou diminuíram as horas de trabalho para passar mais tempo com a família. É incrível pensar que apenas o fato de ouvir a minha história e a de Rick causaria um impacto tão forte nessas pessoas e em suas vidas. Até hoje, fico surpreso. Sempre fico emocionalmente desgastado no final do evento.

Nosso calendário de palestras ficou tão cheio que começou a entrar em conflito com nosso calendário de corridas. Recentemente, tive de diminuir o ritmo, mas ainda adoro discursar com muita frequência. Recebemos muitos e-mails e telefonemas de empresas e grupos do mundo todo que querem nos ver falando. Nesse momento, nossa programação agitada de corridas não tem deixado espaço para viagens de longas distâncias, então estamos concentrando nossas palestras nos Estados Unidos. Adoramos levar Rick sempre que vamos a um evento próximo. Ele é a parte mais importante da história que compartilho. Talvez, quando diminuirmos nosso ritmo de corridas, teremos mais tempo para viajar e palestrar. Mas agora, Rick e eu estamos aproveitando nossos finais de semana de corridas e triatlos.

Cara Equipe Hoyt:
Antes de ver o vídeo de vocês no *YouTube*, não conseguia me movimentar sem uma bengala ou uma cadeira de rodas. Tinha medo de sair de casa por causa dos desafios que teria de enfrentar; minha vida era entorpecida e paralisada como meu corpo. Seu vídeo me inspirou a mudar a minha vida. Com vocês, aprendi que no esporte da corrida e ao se montar uma equipe, deve-se enfrentar todas as fraquezas e limitações. Você tem de aprender a abraçar os obstáculos para poder superá-los com mais força.

Já adulta, fui diagnosticada com esclerose múltipla, e depois que vi o seu vídeo, também comecei a correr. Qualquer pessoa que assiste aos clipes, de você e Rick correndo juntos, pensa que pode fazer qualquer coisa. Quando comecei, participava de corridas de um quilômetro e meio, depois cinco, depois oito. No final das corridas, sentia tanto dor e tanto cansaço que caía no chão, mas com um sorriso no rosto por causa da satisfação recebida por atingir meu objetivo.

Depois que percebi o quanto seu vídeo era poderoso para mim, comecei a compartilhá-lo com as pessoas do hospital em que trabalhava. Melissa Landry, uma de nossas voluntárias que tem paralisia cerebral como Rick, vendia bolinhos para angariar dinheiro para a Children's Miracle Network[7]. Depois de ver o vídeo de vocês, Melissa veio a mim dizendo que não queria mais me ver caindo nas linhas de chegada.

7 **Children's Miracle Network** é uma organização sem fins lucrativos dedicada a salvar e aperfeiçoar as vidas de crianças angariando fundos para hospitais infantis. (N. da T.)

Ela tinha novos heróis em sua vida e queria ser como a Equipe Hoyt. Naquele momento, nascia a Equipe Lean.

Melissa e eu fazíamos serviço voluntário no departamento geriátrico do hospital, e sentimos que o espírito da Equipe Hoyt e da Equipe Lean deveria ser disseminado entre os pacientes. Depois de mostrar o vídeo a eles, analisamos as mudanças na forma como enfrentavam seus próprios problemas. Em vez de reclamar o tempo todo, os pacientes começaram a encarar suas provações e seguir em frente. Agora treinamos nossa própria equipe, que está aprendendo a aproveitar a vida apesar dos desafios que temos de enfrentar.

Depois que conversamos mais sobre corridas, Melissa decidiu que não queria estar lá para me ajudar no final da corrida, mas ela também queria correr comigo, queria me apoiar durante toda a corrida! Completei a corrida na semana seguinte com Melissa e sua cadeira de rodas elétrica me apoiando. Sabendo que a cadeira de rodas era a vida dela, ficava preocupada em usá-la no percurso da corrida, pois temia pelo uso excessivo, mas Melissa estava tão motivada que não podia sugerir que não participasse.

Nossa comunidade ficou fascinada pela ideia de nos ver correndo. Tínhamos o apoio do hospital em que trabalhávamos, do nosso clube de corrida e de nossos pacientes. Depois de uma liquidação de garagem pela cidade, finalmente conseguimos o dinheiro para comprar uma cadeira de corridas para Melissa.

Na última corrida, quando caí, antes de Melissa juntar-se a mim, uma mulher chamada Phyllis Aswell veio me ajudar a sair do chão. Ela era treinadora de uma equipe de corrida que estava trabalhando para completar uma maratona. Na mesma hora soube que tinha de me inscrever no grupo, e que se me comprometesse daquela forma com um grupo de pessoas, não recuaria. Quando me inscrevi na equipe, ela não acreditava na minha dedicação na corrida. Mas eu não parava de lembrá-la que não estava fazendo aquilo por mim, corro porque quero que todas as pessoas saibam que podem fazer o mesmo.

Assim que Melissa e eu nos transformamos na Equipe Lean, ela também começou a participar dos treinos. Todos adoravam Melissa e nos acomodavam da melhor forma que podíamos. Eles realmente acreditavam na mensagem que estávamos tentando passar e estavam prontos para fazer qualquer coisa que pudessem para nos apoiar em sua disseminação.

Aprendemos com a Equipe Hoyt uma atitude importante, a de que vencer em primeiro lugar não é o propósito da corrida. Dick, você corre por Rick porque ele ama correr e porque isso faz com que não se sinta paralítico. Eu corro porque adoro a satisfação que sinto ao atingir um objetivo depois de aceitar minha fraqueza. A Melissa corre porque quer ser o sistema de apoio de alguém, assim como você, Dick. Não corremos para conquistar medalhas ou melhores tempos, mas para provar alguma coisa a nós mesmos. Cruzar a linha de chegada. Essa é a medalha que queremos vencer.

Desde o início, Melissa e eu participamos de seis corridas juntas, uma delas foi uma meia-maratona, e ainda estamos treinando para nossa maratona completa no próximo ano. Devo minha saúde e bem-estar à inspiração de seu vídeo e ao apoio de Melissa. Minha saúde melhorou muito com o nosso treinamento de cinco vezes por semana e a visão positiva em relação à vida.

Somos mais do que deficientes. Ao abraçar nossa deficiência e motivar as outras pessoas a fazer o mesmo, encontramos propósito para nossas vidas em vez de simplesmente lidar com nossas fraquezas. Vocês dois foram uma inspiração e tanto para nós, e esperamos que um dia possamos correr com a Equipe Hoyt.

Vamos continuar propagando sua mensagem,
Karen White
Lake Charles, Louisiana

[CAPÍTULO 18]

Fãs ao Redor do Mundo

No momento em que entramos nos século XXI, Rick e eu havíamos nos globalizado por meio das novas mídias que nunca imaginei existir e nem mesmo ainda as entendo. O novo século também nos trouxe alguns contratempos. Em 2003, com quase 63 anos e sentindo-me no auge da minha forma física – participava de uma corrida de rua ou de uma maratona quase todo final de semana do ano. Mas, alguns meses antes da Maratona de Boston, quando estávamos em Cape Cod competindo em um evento de meia-maratona em Hyannis, senti o que posso apenas descrever como cócegas na minha garganta e no meu peito. Era incomum, uma ruptura da minha reação física normal ao treinamento. As cócegas persistiram por um mês (e mais cinco corridas) e fui à minha médica pessoal, Dra. Stephanie Keany, para fazer um eletrocardiograma. Quando o resultado ficou pronto, ela me recomendou procurar um cardiologista. O Dr. Joel Gore descobriu que eu tinha tido um leve ataque cardíaco. As artérias do meu coração estavam 95% bloqueadas. Se não estivesse em tão boa forma, teria morrido há 15 anos. Rick tinha verdadeiramente salvo a minha vida. Tive de passar por um angioplastia de emergência para colocar *stents*, e então fomos forçados a faltar na Maratona de Boston daquele ano.

Não deixamos que isso nos entristecesse por muito tempo. Em setembro de 2003, Rick e eu aumentamos o ritmo para mais um Campeonato Mundial de *Ironman*, em Kona, no Havaí. Meus médicos mal podiam acreditar, mas todos me deram uma ficha médica limpa e sinal verde para continuar o que vínhamos fazendo. Meu coração está em ótima forma agora e sem dúvida vai vencer do resto do meu corpo. Rick e eu não deixaríamos uma simples cirurgia se colocar em nosso caminho. Estamos acostumados à adversidade.

Infelizmente, contudo, aquele foi o ano de visitas hospitalares. Tudo estava indo bem em Kona, mas por volta dos 140 quilômetros da etapa do ciclismo do *Ironman*, bati – feio. A bicicleta quebrou inteira, e Rick bateu com a cabeça durante a queda, tendo de passar cinco horas no pronto-atendimento. Ele levou pontos no supercílio direito. Meu maior pesadelo era Rick se machucar em uma corrida.

Alguns anos depois, em 2005, passamos por uma situação semelhante. Durante uma tempestade forte, uma árvore caiu em cima do teto da sala de estar. Apenas alguns dias antes, nosso carro, equipado de forma especial, quebrou e tivemos de comprar outro. O pior do ano foi passar o Natal de muletas depois de operar o joelho para consertar danos à cartilagem. Depois de todos esses anos de corrida, foi a primeira vez que precisei operar o joelho. A mídia estava lá para registrar tudo, os bons e os maus momentos. De certa forma, era um conforto saber que as pessoas estavam se preocupando com a gente.

Nunca esperei que tantos tipos diferentes de mídia fossem se interessar pela nossa história. Antes, a mídia tradicional – de jornais e edição de notícias – tinha nos abraçado. Participamos de programas como *TLC Amazing Families, 60 Minutes Austrália* e do *Good Morning América*. Também fomos ao *Rosie O'Donnell Show* e no *Weekend Today*. Nossa história estava nas ruas, nos Estados Unidos e em outros países. As pessoas sempre escreviam ou telefonavam para nós para contar suas histórias ou ouvir um pouco mais sobre a nossa. Rick e eu até fizemos parte de um documentário produzido pela Disney, no programa de Louis Schartzberg, *America's Heart and Soul*, que mostra a vida de vários cidadãos norte-americanos considerados extraordinários.

Continuamos de alguma forma inconscientes da magnitude da atenção – talvez porque estávamos tão ocupados. Rick estava sempre trabalhando e se preparando para os eventos que estavam por vir sobre a sua exigente rotina diária. Se eu não estava me preparando para uma corrida, estava me preparando para uma palestra. A atenção era boa, e certamente nos deixava lisonjeados, mas nunca fizemos objeção para aparecer na TV ou ter artigos escritos sobre nós. A maior parte foi acidental ou simplesmente encaixou-se naturalmente. A Maratona de Boston, por exemplo, sempre foi televisionada, assim, recebíamos cobertura todos os anos, durante a nossa participação. O mesmo acontecia com a corrida de *Ironman*. Os jornalistas sempre registravam a nossa participação nas corridas de grande porte, e a organização do *Ironman* foi uma das que mais nos deu apoio desde a primeira vez que competimos no Havaí e até mesmo antes, no Canadá. Em 2004, o *Ironman* produziu o primeiro DVD com cenas das nossas corridas, o que foi ótimo para termos um registro da época de corridas juntos, além de ser algo que podemos compartilhar com os amigos.

No começo, Rick e eu tínhamos de brigar para conseguir uma posição entre os corredores. Agora, os atletas se alegram por abrir o caminho para nós, e os fãs enfileiram-se pelo percurso do evento com o único objetivo de nos ver. Ocorreu-me um dia que jamais importaria se não vencêssemos nenhuma corrida – estávamos felizes simplesmente por correr. Atualmente, nosso tempo de chegada está mais lento, mas o melhor sempre foi participar – uma vitória pessoal. Foi competir e tentar a superação que nos fez ser notados por outros. Há superestrelas no mundo das corridas, mas não é como o basquete e o beisebol. Os nomes dos corredores geralmente não estão na boca do povo. Em uma corrida, as pessoas veem os vencedores em suas conquistas e não sabem quem são, mas olham para mim e Rick e o reconhecimento é imediato. Ouvimos "Equipe Hoyt! Podemos apertar suas mãos? Podemos tirar uma foto?" e creio que não seja tão difícil nos reconhecer no meio da multidão. Ser reconhecido é fácil, mas o mais importante é ouvir o que as pessoas têm a dizer.

Depois de uma corrida, às vezes vejo as pessoas se reunindo ao nosso redor, olhando para nós como se quisessem conversar, mas com receio de se aproximar. Vou em direção a eles, aperto suas mãos, e os apresento a Rick. Se eles participaram da competição, pergunto como se saíram. Então, começamos a conversar, e é aí que a magia acontece. Quando os outros têm a dizer sobre suas vidas e aspirações. Os amigos que fiz e as histórias que ouvi – não há palavras para expressar o tipo de gratidão que sinto por ser capaz de compartilhar histórias com as outras pessoas. E isso não teria sido possível sem o auxílio da mídia, sem o fato de algumas pessoas ouvirem a nossa trajetória e pensarem "vale a pena contar essa história".

Quando o jornalista esportivo Rick Reilly dedicou sua coluna na *Sports Illustrated,* A Vida de Reilly, a nós, no dia dos pais de 2005, as coisas ficaram bem agitadas. Reilly nunca havia feito contato conosco antes de escrever o famoso artigo *O pai mais forte do mundo*. Alguém da revista entrou em contato conosco uma semana antes do artigo sair, dizendo que só queria conversar com a gente e pedir umas fotos minhas com Rick para postar no website quando o artigo fosse publicado. Não fazíamos ideia de que acabaria sendo algo de tanta repercussão.

Ainda não tenho certeza absoluta sobre como o artigo saiu, mas suspeitamos que tenha algo a ver com Bill Lowe. Lowe é membro da

Special Kids, Inc., em Murfreesboro, Tenesse. É uma unidade ambulatorial que cuida de crianças com necessidades especiais e com a saúde frágil e que não têm condições financeiras de se tratar. Rick e eu fazemos vários eventos beneficentes nas escolas locais, mas por causa das limitações de viagem, quando há viagens de avião envolvidas, cobramos uma taxa de apresentação. No começo de 2005, contudo, recebemos alguns e-mails e telefonemas de Lowe, e algo nele e no trabalho que estava desenvolvendo me sensibilizou. Decidimos voar até Murfreesboro, sem cobrar taxa alguma. Bill, sua esposa e sua família nos instalaram em um belo lugar e pagaram pelas despesas de viagem. Divertimo-nos muito ao visitá-los e ao conversarmos com o grupo deles. Estavam fazendo grandes realizações com as crianças da região e precisavam de ajuda. Meses depois, Lowe mencionou que alguém do grupo tinha entrado em contado com Reilly da *Sports Illustrated* e dito a ele para escrever um artigo sobre a Equipe Hoyt para o dia dos pais. Acreditamos que foi assim que tudo começou. O resto, é claro, é história.

A reação à coluna de Reilly foi incrível. Detonou uma explosão por parte da mídia ao redor da nossa história. O artigo trouxe muito reconhecimento à Equipe Hoyt, e fomos expostos a tantas pessoas que nunca tinham ouvido falar de nós. Milhões de pessoas assinam a *Sports Illustrated*. A revista está em qualquer barbearia, no consultório do dentista ou sala de espera de um médico da América do Norte. As pessoas abriam a revista e a coluna estava bem lá. Até hoje, pessoas com estilos de vida diferentes falam sobre o artigo quando nos mandam e-mails ou nos encontram em um evento.

Ainda não encontramos o homem que tornou isso possível pessoalmente. Apesar de termos trocados vários e-mails, nunca apertamos as mãos, algo que espero fazer um dia. O artigo foi incluído no livro dele *Hate Mail from Cheerleaders*. Ele nos mandou uma cópia autografada e lá estava escrito “Para Dick e Rick, vocês me deixaram famoso! Com agradecimentos e felicitações – Rick Reilly”. Obviamente, ele foi muito modesto. Reilly nos disse que as pessoas até hoje encaminham nosso vídeo do *YouTube* a ele, e sempre escrevem "Ei, Rick, você já viu isso?" E Rick responde: "Sim, já vi e já escrevi sobre isso."

De súbito, começamos a receber telefonemas de grandes redes de comunicações e de desconhecidos ao redor do globo. Eu nem sabia o que fazer com aquilo tudo. Queria fazer parte de algo que fizesse diferença, mas isso já era um nível acima. Contudo, sabia que difundir nossa história era importante. Do contrário, as pessoas não iam pedir para ouvi-la, e eu não estaria em uma posição em que pudesse contá-la.

Por causa do *Pai mais forte do mundo*, a Equipe Hoyt apareceu no programa da rede ABC, *World News Tonight*. A esposa de um dos executivos da HBO assistiu e nos convidou para o programa da HBO, *Real Sports* com Bryant Gumbel. Mais tarde, o episódio venceu o *Emmy* de Longa Metragem Excepcional. O programa *Today Show* nos chamou para uma segunda e mais intensa filmagem – chamando a nossa história de "a maior história de amor de todos os tempos." – e a sequência rapidamente também foi parar na internet. Rick e eu aparecemos em outdoors da *Times Square* à Califórnia, uma foto de nós dois com a palavra *devoção* embaixo. É surreal ver nossas imagens nas ruas, maiores que a vida.

A mão do meu filho, ou talvez mais importante ainda, sua voz está em tudo isso também. Em junho de 2007, ele me surpreendeu ao escrever um belo artigo para a revista *Men's Health*, intitulado *O que meu pai significa para mim*. Foi a primeira vez que ele tinha oficialmente afirmado, perante um público enorme, como se sentia sobre o nosso relacionamento. Ele escreveu, "[Meu pai] não é apenas meus braços e pernas. Ele é a minha inspiração, a pessoa que permite viver minha vida intensamente e inspira os outros a fazerem o mesmo." Dizer que fiquei emocionado não é suficiente.

Sem sabermos o que ia acontecer, o artigo apareceu na *home page* do MSN no dia dos pais. Milhões de e-mails começaram a ser disparados. Chegou a um ponto que Kathy tinha cinco ou seis mil mensagens esperando por ela na caixa de entrada da Equipe Hoyt e outros cinco ou seis mil esperando na caixa de saída. Foi aí que o computador dela quebrou.

Fiquei emocionado com o apoio cada vez maior dos leitores que queriam entrar em contato conosco para se comunicar com a gente. Um adolescente confessou que estava tão deprimido e com ideias suicidas antes de conhecer a nossa história. Uma garota das Filipinas nos contou a história da sua irmã mais velha, que também sofria de paralisia cerebral. Os médicos disseram à família que ela jamais falaria ou andaria. Atualmente, ela faz as duas coisas e chama Rick de herói. Outra mulher escreveu que éramos um exemplo brilhante para essa geração e nos disse também ter encaminhado nosso vídeo no *YouTube* para todo mundo que ela conhece. Além da motivação que recebo de Rick, histórias pessoais como essa me motivam a continuar. É por causa dessas pessoas e de suas histórias que não desisto.

Muita da atenção, é claro, ocorreu por causa do vídeo no *YouTube* e da internet. O clipe original com a música *Redeemer* ao fundo do DVD do *Ironman* foi rapidamente disseminado no mundo e passado de pessoa a pessoa, enviado como link e encaminhado por e-mail, frequentemente junto com o artigo de Reilly. As pessoas dizem que choraram muito ao vê-lo, e enviaram a todos os amigos, convidando seus cônjuges e filhos para assistir com eles. Empresários disseram que estavam em seus escritórios com a porta fechada por estarem emocionados devido ao vídeo. Sejam as pessoas bombeiros, policiais, veteranos de guerra ou criminosos condenados – todos vão às lágrimas com a nossa história. O mesmo aconteceu com a reportagem do *Today Show*.

Considero notável ter me tornado parte da sensação da internet aos 60 anos. Muitas das histórias sobre nós ocorreram nos jornais e nas redes de televisão dos Estados Unidos. Quando saímos do país para correr, as pessoas em Tóquio ficaram sabendo da nossa história – em sua língua nativa. Esse tipo de boca a boca cibernético encorajou outros jornalistas, editores de notícias e escritores a contarem nossa história. Recebemos telefonemas do Japão, Coreia, Brasil e Rússia – todos esperando conseguir uma entrevista por causa do vídeo assistido. O fato de Rick e eu termos fãs ao redor do mundo nos deixa uma sensação fenomenal.

Meu filho e eu só podemos esperar que qualquer atenção pública que continuemos a receber aumente a conscientização para a deficiência. Não faço isso para ser famoso. Nosso objetivo, meu e de Rick, é demonstrar que qualquer um é capaz de fazer se canalizar sua mente para tal. Se Rick conseguiu fazer e faz com que eu continue fazendo com ele por 30 anos, então tudo é possível.

Quando cruzamos a linha de chegada da nossa milésima corrida, a nossa vigésima sétima Maratona de Boston, meus netos, Troy e Ryan estavam nos esperando por lá para parabenizar a mim e ao tio deles: "agora podem completar mais mil", disseram. Não faço ideia de quanto tempo mais Rick e eu seremos capazes de continuar fazendo o que fazemos. Sei que nós dois ainda adoramos. Nossos corpos estão aguentando firme. Uma coisa é imutável. Não desejo correr sozinho, e Rick disse que não se imagina correndo com mais ninguém. Somos uma equipe. Ainda estamos nos sentindo bem, e vamos continuar até Rick dizer: "papai, já chega".

Sabe, sou um homem comum. Corto a grama, tiro a neve da frente da garagem e troco o óleo do carro. Vou ao supermercado e cozinho quase todas as noites. Sou como qualquer outro cidadão norte-americano. Só que tive sorte – tenho um filho lindo e uma atividade que conseguimos fazer juntos, apesar da deficiência dele. Tem sido uma jornada incrível. Não sou herói. Sou apenas pai. E tudo o que fiz foi amarrar o cadarço do tênis para empurrar meu filho em sua cadeira de rodas.

A Carta de Rick

Querido papai,

Quis aproveitar esta oportunidade para escrever um recado diretamente para você. A palavra *obrigado* não me parece adequada. Na verdade, parece até bem superficial para todas as coisas que você faz comigo e por mim. Por sua causa, minha vida é repleta de lembranças – algumas tão simples quanto aquela vez que você me levou ao telhado quando construía uma chaminé, e outras mais arriscadas, como as vezes em que escalamos montanhas. Foi incrível quando eu era um garoto e você estava na Guarda Nacional, e me mostrou onde os mísseis eram guardados. Você deixou que Rob, Russ e eu víssemos os mísseis serem lançados. Depois você foi para a Força Aérea, você e o time de corrida da Força Aérea Nacional de Massachusetts me levaram para Nebraska para a Maratona da Força Aérea Nacional. Há tantas lembranças, todas elas porque você não desistiu de mim.

Tenho uma lista de coisas que faria se não fosse deficiente. No topo dela está: daria o melhor de mim para participar do *Ironman* puxando, pedalando e empurrando você! Depois empurraria você na Maratona de Boston. E cuidaria de você quando ficasse velho demais para cuidar de si mesmo. Não porque seria a minha obrigação, faria isso por devoção.

Valorizo sua ética profissional e tudo o que me ensinou sobre nunca desistir. Sua atitude confiante antecede nossas corridas. Sei de histórias de quando você era criança, eram 12 pessoas em uma casa pequena, sei que você e seus irmãos cavaram um porão com as próprias mãos só para conseguirem mais espaço para a família. Você nunca teve medo do trabalho pesado. E sempre adorou competir. Quando estava na escola, era capitão dos times de futebol e de beisebol. O que você aprendeu nos campos foi de muita ajuda à nossa equipe.

Acho fantástico que hoje existam outras equipes de pai e filho, e espero que esses filhos tenham tantas experiências como tive passando o tempo com você. Acho ótimo que esses eventos permitam que pais e filhos se envolvam nas vidas uns dos outros. Também acho ótimo que nós tenhamos dado o exemplo.

Ter sido criado por um homem maravilhoso como você faz com que possa dar muitos conselhos aos outros pais. Participem dos cuidados diários com o seu filho – isso é importante quer a criança tenha necessidades especiais, quer não. Participem das consultas médicas e das sessões de terapia. Passe o tempo com seu filho de forma a conhecê-lo melhor. Conheça-o de verdade. E não tenham medo de se sujar, mesmo que isso signifique ficar no chão para brincar com ele. Tentem se comunicar com seu filho. Façam coisas juntos para descobrir as preferências dele. Não o pressione a fazer algo que você goste. Nós corremos juntos porque eu pedi para você fazer isso. Essa não é a sua paixão, é a nossa.

Também tenho alguns conselhos para os filhos. Continuem tentando se comunicar com seu pai. Por favor, cooperem com seus pais, médicos e terapeutas. Ouça-os, mas não deixem que ninguém diga a você quais são os seus limites. Nunca desista!

O mais importante de tudo: espero que todos que conheçam a nossa história saibam que você me ensinou que a chave da minha vida diária é que eu acredito na frase "Sim, você pode!"

Obrigado pode até parecer superficial. Mas tenho de agradecê-lo por ser tão devotado a mim. Eu também sou muito devotado a você.

Eu te amo,

Rick.

RR DONNELLEY

IMPRESSÃO E ACABAMENTO
Av Tucunaré 299 - Tamboré
Cep. 06460.020 - Barueri - SP - Brasil
Tel.: (55-11) 2148 3500 (55-21) 3906 2300
Fax: (55-11) 2148 3701 (55-21) 3906 2324

IMPRESSO EM SISTEMA CTP